O QUE AS PESSOAS ESTÃO FALANDO SOBRE
Receita Previsível

"A principal diferença entre as empresas brasileiras e as americanas é justamente a forma e a atenção que os times de marketing e vendas dão aos seus processos internos. Na primeira vez que tive contato com este livro, fiquei impressionado com a forma com que Aaron Ross consegue propor um processo de forma simples e eficaz. Começamos a usar na Take e o resultado supera as expectativas."

Roberto Costa de Oliveira, CEO, Take

"Ler *Receita Previsível* é como ter uma conversa deliciosa com um guru de vendas que generosamente compartilha seus processos de venda, resultados e lições aprendidas. Estou muito impressionado, energizado e revigorado em ouvir algo tão relevante, com uma mistura de humor e lógica ousada. Este livro é honesto, relevante e lógico, e merece nota 10 porque certamente fará você pensar e o convencerá a mudar as coisas... rápido. Agora, por favor, me dê licença para aposentar meu telefone. Depois de ler meu capítulo favorito ('Descanse em paz, *cold calling*'), não há dúvida de que essa abordagem já morreu, e Ross nos diz o porquê."

Josiane Feigon, CEO, TeleSmart, autora de *Smart Selling on the Phone and Online: Inside Sales That Gets Results*

"Acabei de ler *Receita Previsível*. Inacreditável! Agora eu sei o que está errado com os nossos processos de venda..."

Pat Shah, CEO, SurchSquad

"Eu li *Receita Previsível* e trata-se de uma ruptura empreendedora!"

Damien Stevens, CEO, Servosity

"Trabalhar com Aaron Ross tem sido nada menos que incrível. Seus métodos aplicados à nossa área de vendas nos ajudaram a criar um fluxo rentável e escalável de receitas previsíveis. Vimos um crescimento de pelo menos 40% nos novos negócios. A melhor parte é que nos divertíamos fazendo isso!"

Michael Stone, VP de Vendas e Estratégia, WPromote (ranqueada em 1º lugar na categoria Empresa de Pesquisa de Marketing da Inc. 500)

"O conceito da máquina de vendas é brilhante. Aaron Ross fez um belo trabalho destilando um conceito complexo em algo de fácil leitura, uma verdadeira bíblia para empreendedores e executivos."

Promise Phelon, CEO, UpMo

"Aaron Ross criou um trabalho que é útil tanto para empresas já estabelecidas quanto para empreendedores. O material é facilmente digerido e aplicável a pequenos e grandes negócios."

Brent Mellow, CEO, akaCRM

"As empresas que conheço e que seguiram os conselhos de Aaron Ross se superaram. O que mais eu posso dizer?"

Tim Connors, General Partner, US Venture Partners

"Aaron Ross é um dos principais pensadores do movimento Vendas 2.0. Estou inspirado pela sua visão, espantado com sua criatividade e agradecido por seus conselhos."

Daniel Zamudio, CEO, Playboox

"Aaron Ross tem sido um grande conselheiro para a AdaptAds. Sua abordagem 'cautelosa, mas certeira' combina com a abordagem de nossa empresa. Ele traz experiências de aprendizado inestimáveis no que se refere à formação de um time de vendas. Ele é acessível, com a mais astuta das perspectivas."

Yogesh Sharma, CEO, AdaptAds

"Aaron Ross é o exemplo perfeito de como os grandes líderes podem ser se deixarem seus egos de lado, criarem uma visão clara e robusta e empoderarem seus colaboradores para agirem como miniCEOs. Eu assumi o time que Ross criou na Salesforce.com e fiquei impressionado pela sua liderança na construção de uma base sólida, preparada para um sucesso explosivo e sustentável. Obrigado, Ross. Você me fez parecer poderoso por aqui!"

Ryan Martin, Director of New Business, Salesforce.com

"Aaron Ross é realmente único – por um lado, é um homem de negócios esclarecido e experiente; por outro, é uma pessoa pé no chão e equilibrada, que realmente gosta de ajudar os outros a se tornarem bem-sucedidos. Ele é capaz de pensar simultaneamente como um empreendedor independente e como um diretor de empresa. Ele sabe que os antigos métodos não são mais suficientes para gerar um crescimento sustentável e previsível na nova economia. É realmente um prazer conhecê-lo e trabalhar com ele."

Eliot Burdett, Founder and Managing Partner, Peak Sales Recruiting

"Aaron Ross tem uma incrível habilidade para avaliar, orientar e ensinar CEOs a mudarem sua abordagem de negócios e a criarem uma receita mais previsível e um time de vendas que funcione, por si só, como uma máquina de vendas. Ross os ensina ainda como reduzir o estresse e aumentar a liberdade em suas vidas. Tem sido uma honra trabalhar com ele e testemunhar as mudanças que ele ajuda os outros a levarem adiante."

Onna Young, LifeAfterDebt.us

Copyright © 2016 PebbleStorm Inc.
Copyright desta edição © 2017 Autêntica Business.

Título original:
Predictable Revenue: Turn Your Business Into a Sales Machine with the $100 Million Best Practices of Salesforce.com

Todos os direitos reservados pela Autêntica Editora Ltda. Nenhuma parte desta publicação poderá ser reproduzida, seja por meios mecânicos, eletrônicos, seja cópia xerográfica, sem autorização prévia da Editora.

EDITOR
Marcelo Amaral de Moraes

EDITORA ASSISTENTE
Luanna Luchesi

REVISÃO TÉCNICA E PREPARAÇÃO DE TEXTO
Marcelo Amaral de Moraes

REVISÃO
Luanna Luchesi

PROJETO GRÁFICO
Diogo Droschi

DIAGRAMAÇÃO
Guilherme Fagundes

Dados Internacionais de Catalogação na Publicação (CIP)
(Câmara Brasileira do Livro, SP, Brasil)

Ross, Aaron
  Receita previsível : como implementar a metodologia revolucionária de vendas *outbound* que pode triplicar os resultados da sua empresa / Aaron Ross & Marylou Tyler ; tradução Marcelo Amaral de Moraes. -- 2. ed.; 7. reimp. -- São Paulo : Autêntica Business, 2024.

  Título original: Predictable revenue

  ISBN 978-65-86040-82-1

  1. Administração de vendas 2. Gestão de vendas 3. Negociação em vendas 4. Planejamento de negócios 5. Vendas *outbound* 6. Vendas - Técnicas 7. Vendas e vendedores I. Tyler, Marylou. II. Título.

20-37666   CDD-658.81

Índices para catálogo sistemático:
1. Administração de vendas 658.81

Cibele Maria Dias - Bibliotecária - CRB-8/9427

A **AUTÊNTICA BUSINESS** É UMA EDITORA DO **GRUPO AUTÊNTICA**

São Paulo
Av. Paulista, 2.073, Conjunto Nacional
Horsa I . Salas 404-406 . Bela Vista
01311-940 . São Paulo . SP
Tel.: (55 11) 3034 4468

Belo Horizonte
Rua Carlos Turner, 420
Silveira . 31140-520
Belo Horizonte . MG
Tel.: (55 31) 3465 4500

www.grupoautentica.com.br
SAC: atendimentoleitor@grupoautentica.com.br

AARON ROSS &
MARYLOU TYLER

RECEITA
PREVISÍVEL

Como implementar a **metodologia revolucionária** de vendas *outbound* que pode **triplicar** os resultados da sua empresa

2ª edição | REVISADA E AMPLIADA

7ª reimpressão

TRADUÇÃO
Marcelo Amaral de Moraes

autêntica
BUSINESS

PREFÁCIO À SEGUNDA EDIÇÃO

Os principais desafios de se implementar a metodologia de Receita Previsível

Desde que escrevi a primeira edição do livro *Predictable Revenue* – em inglês –, comecei a ajudar empresas na América do Norte a crescerem, por meio da PredictableRevenue.com. Gradativamente, começamos a atender clientes nos Estados Unidos, Canadá, México e em alguns países da América Latina.

Em 2017, após o lançamento do *Receita Previsível* em português, pelo selo Autêntica Business, a demanda pelos nossos serviços de consultoria em empresas da América do Sul aumentou bastante e, no final do mesmo ano, com a ajuda do Eduardo Muller, consegui levar a metodologia de Receita Previsível para o Brasil e outros países da América Latina. Inauguramos um braço de treinamento e consultoria para atuar no Brasil: a Universidade Previsível (www.ReceitaPrevisivel.com).

Desde então, capacitamos mais de 10 mil profissionais a aumentarem a receita de suas empresas. São profissionais que atuam em pré-vendas, gestores de vendas, gerentes de marketing, empresários, CEOs e fundadores de *startups*; todos compartilhando suas dificuldades e sendo orientados pelo meu time sobre como criar uma "máquina de prospecção". Além dos treinamentos, também tivemos a oportunidade de realizar alguns diagnósticos de "máquinas de vendas" de empresas brasileiras e latino-americanas, identificando desafios semelhantes em várias delas. Entre os principais desafios que encontramos, estavam:

Acertar na escolha do nicho

Muitos gestores acreditam saber tudo sobre o que os clientes necessitam, desejam ou sentem; no entanto, na correria do dia a dia, não se lembram ou não têm tempo para falar com aqueles que usam seus produtos ou serviços, e criam mensagens baseadas apenas em hipóteses. Para construir processos de negócio e mensagens relevantes para o seu segmento, você precisa "se colocar no lugar deles" e compreender quais são as suas verdadeiras dores e como você poderá ajudá-los. A falta de validação das hipóteses que você tem sobre os seus segmentos e clientes terá impacto direto nos seus resultados.

Mudar o *mindset*

Mudar o *mindset* das empresas e das pessoas que nelas trabalham provavelmente levará mais tempo do que você pensa. Às vezes, será preciso montar um pequeno time, bem focado, mudar as pessoas e gerar resultados para se ajustar o *mindset*. Comece a mudança com os seus dois profissionais de pré-vendas e os dois executivos de contas que pareçam ser mais adaptáveis. Quando eles conseguirem gerar resultados sistematicamente, todo o resto da empresa vai querer saber o que eles estão fazendo e, gradualmente, o *mindset* geral mudará.

Criar métricas

Muitos gestores não se atêm ao uso de métricas no início de um processo. No entanto, o processo de vendas *outbound* é totalmente baseado em painéis, *dashboards* e métricas. Será preciso mensurar e-mails, ligações, *leads*, oportunidades de negócio, desde o início. Dessa forma, será possível encontrar os gargalos e implementar melhorias contínuas.

Obter sinergia entre os times de marketing e vendas

Quase sempre há conflitos entre os times de marketing e vendas, no que tange à qualidade das oportunidades de negócio. Para se chegar a um consenso entre essas duas áreas, elas devem definir, em conjunto, os parâmetros necessários para que um *lead* seja aceito pela área de vendas, além de como se dará a passagem de bastão e o agendamento em si.

Obter resultados rapidamente

A implementação do processo de prospecção *outbound* precisa começar na "infância", com a realização de muitos testes e aprimoramentos contínuos. A necessidade de se obter resultados de curto prazo faz com que muitas empresas pulem etapas de aprendizado importantes. Primeiramente, é necessário encontrar um modelo de crescimento adequado à empresa para, só depois, escalar.

Eu apresentei acima os principais desafios que você encontrará na construção da sua máquina de vendas, mas certamente haverá muitos outros.

Se você quiser aprender a estruturar o seu negócio com sucesso, ou precisa de ajuda para identificar e superar os seus desafios, eu e meu time ensinamos empresas em todo o mundo a crescer e teremos muito prazer em ajudá-lo.

Acesse www.ReceitaPrevisivel.com para que possamos ajudar a sua empresa a crescer!

Aaron Ross

AGRADECIMENTOS

Obrigado, Rob Acker, Shelly Davenport, Cary Fulbright, Frank Van Veenendaal, Ryan Martin, Marc Benioff, Jim Steele, Brett Queener, RTL, John Somorjai, Erythean Martin, todos os passados, presentes e futuros membros do time de vendas da Enterprise Business Representative em todo o mundo, e meus muitos outros amigos e apoiadores da Salesforce.com.

Obrigado, Tim Connors, Roberto Angulo e John Girard, por me iniciarem no caminho da consultoria de vendas após a Salesforce.com.

Obrigado, Jon Miller & Maria Pergolino, por sua mensagem e apoio ao livro *Receita Previsível*.

Obrigado, Onna Young, você é um gênio e muito especial para mim! Quem sabe como seria a PebbleStorm sem você? (Todo mundo precisa de um adotante inicial ou uma líder de torcida; a minha foi Onna Young.)

Obrigado, Marylou Tyler, por ajudar enormemente a ampliar a visão, o crescimento e a diversão da PredictableRevenue.com; e obrigado, Kristine Castro Sloane, por cuidar tanto de mim, deste livro e da PebbleStorm! E, por último, e acima de tudo, obrigado à minha esposa, Jessica Ross, a mulher mais amorosa, honesta, autêntica e divertida, que infalivelmente acredita em mim, me apoia e me ajuda a crescer.

SUMÁRIO

PARTE 1 — O QUE É *COLD CALLING* 2.0 E QUAIS RESULTADOS A METODOLOGIA DE RECEITA PREVISÍVEL ESTÁ TRAZENDO PARA AS EMPRESAS ... 21

CAPÍTULO 1
QUAIS RESULTADOS AS EMPRESAS ESTÃO OBTENDO COM A METODOLOGIA DE RECEITA PREVISÍVEL? ... 22
- Rock Content ... 23
- Febracis ... 26
- Ramper ... 29
- Take ... 31
- Estudo de caso · Do marketing institucional à geração de receita: como a Imagem construiu a sua "máquina de vendas" ... 34

CAPÍTULO 2
DE ONDE VIERAM OS US$ 100 MILHÕES DA SALESFORCE.COM? ... 40
- Comece por aqui ... 41
- A irregularidade das *hot coals* ... 44
- Os dolorosos erros de planejamento que a Diretoria e os gestores de vendas cometem todos os anos ... 46
- Você já se sentiu um fracasso total? ... 53
- O processo de vendas de US$ 100 milhões ... 56
- Faça da sua falta de dinheiro uma vantagem ... 59

CAPÍTULO 3
***COLD CALLING* 2.0:** COMO AUMENTAR RAPIDAMENTE AS VENDAS SEM TER DE FAZER *COLD CALLS* ... 62
- As primeiras inovações ... 63
- Termos e abreviações ... 68
- Descanse em paz, *cold calling* ... 70
- O caso de implementação da *cold calling 2.0* na Salesforce.com ... 73
- *Cold calling 1.0* X *cold calling 2.0* ... 77

- Por que os executivos de contas não devem fazer *cold calls*? 80
- Será que a *cold calling 2.0* pode funcionar na minha empresa? 81
- Estudo de caso · Como a metodologia de Receita Previsível ajudou a Acquia a alcançar uma receita de US$ 100 milhões 82

PARTE 2
IMPLEMENTANDO A METODOLOGIA DE RECEITA PREVISÍVEL 89

CAPÍTULO 4
IMPLEMENTANDO O PROCESSO DE *COLD CALLING 2.0* 90
- Iniciando a implementação da *cold calling 2.0* 91
- O primeiro e mais importante passo 93
- Por que separar os times de vendas *outbound* e *inbound*? 96
- Escolhendo um sistema de automação da força de vendas 98
- Como funciona o processo de *cold calling 2.0*? 103

CAPÍTULO 5
OS 5 PASSOS DO PROCESSO DE *COLD CALLING 2.0* 106
- 1º Passo – Estabeleça o perfil ideal de cliente (PIC) de forma bem clara 107
- 2º Passo – Construa a sua lista de contas e contatos 113
- 3º Passo – Faça campanhas de e-mail *outbound* 115
- 4º Passo – Venda o sonho 124
- 5º Passo – Passe o bastão 132

CAPÍTULO 6
TIPOS DE *LEADS* E COMO GERÁ-LOS: SEMENTES, REDES E ALVOS 144
- Definindo os conceitos de *prospects*, *leads*, oportunidades de negócio, clientes e campeões 145
- Distinguindo os diferentes tipos de *leads*: sementes, redes e alvos 147
- Como gerar um fluxo estável de *leads* pelo *inbound*? 151
- Maximize os resultados com feiras e eventos 158
- Use a analogia das camadas da cebola para ajudar você a vender 160

- Estudo de caso · As melhores práticas de automação de marketing: como a Marketo usa o Marketo? 163

CAPÍTULO 7
AS MELHORES PRÁTICAS DE PROSPECÇÃO E VENDAS 176
- Seis dicas rápidas de prospecção 177
- Minhas perguntas de prospecção favoritas 180
- Os seis erros mais comuns cometidos pelos SDRs 182
- Gestão de tempo e foco: os "três objetivos do dia" 184
- Um dia na vida de um SDR 185
- Exemplo de painel de controle (*dashboard*) no *software* Salesforce.com 188

CAPÍTULO 8
AS MELHORES PRÁTICAS DE VENDAS 190
- Vender para o sucesso 191
- Nove comportamentos que podem alongar o seu ciclo de vendas 196
- Tenha obsessão pelo processo de decisão e não pelo tomador de decisão 200
- Nove passos para criar demonstrações que maximizem as taxas de conversão 202
- Um processo de vendas de 3 horas e 15 minutos 205
- Grandes vendedores identificam as reais necessidades que se escondem atrás dos desejos dos clientes 208
- Os clientes devem merecer a proposta 209

PARTE 3
CONSTRUINDO E DESENVOLVENDO O SEU TIME DE VENDAS 213

CAPÍTULO 9
OS FUNDAMENTOS DA MÁQUINA DE VENDAS 214
- Uma visão completamente diferente para estruturar o seu time de vendas 215
- Vendas 1.0 (Promoção) X vendas 2.0 (Atração) 217

- Clientes satisfeitos geram crescimento exponencial — 219
- Separe as quatro principais funções de vendas — 220
- Nove fundamentos para construir uma máquina de vendas — 224
- Se você vende para Executivos de Vendas... — 227

CAPÍTULO 10
CONTRATANDO E REMUNERANDO OS MELHORES PROFISSIONAIS DE VENDAS — 228

- Funcionários satisfeitos desenvolvem clientes satisfeitos — 229
- Os melhores profissionais de vendas... — 230
- Onde posso contratar grandes vendedores? — 231
- Será que devo ter vendedores 100% comissionados? — 234
- Como remunerar os SDRs? — 236
- Envolva todo o time no desenho do plano de remuneração — 238

CAPÍTULO 11
TREINANDO, DESENVOLVENDO E RETENDO OS SEUS TALENTOS DE VENDAS — 242

- O treinamento interno constrói uma força de vendas melhor — 243
- O melhor tipo de treinamento de vendas — 245
- O treinamento semanal autogerido da Salesforce University — 247
- Três maneiras de inspirar e melhorar sua área de vendas — 251
- A importância de ir até o fim — 253
- Retendo os melhores talentos — 255

PARTE 4
LIDERANDO E GERINDO A MÁQUINA DE VENDAS — 259

CAPÍTULO 12
OS SETE ERROS FATAIS QUE CEOs E DIRETORES DE VENDAS COMETEM — 260

- Mesmo os CEOs e Diretores de Vendas mais experientes sempre cometem erros — 261

CAPÍTULO 13
LIDERANÇA E GESTÃO   270
- As seis responsabilidades de um gestor   271
- Por que os vendedores relutam em seguir orientações   275
- Dez maneiras de melhorar a adesão ao seu sistema de automação da força de vendas   279
- Como criamos um alinhamento da máquina de vendas usando o processo de planejamento V2MOM da Salesforce.com?   284
- Como projetar times e processos autogeridos   288

PARTE

1

O que é *cold calling* 2.0
e quais resultados a metodologia
de Receita Previsível está
trazendo para as empresas

CAPÍTULO 1
—
QUAIS RESULTADOS AS EMPRESAS ESTÃO OBTENDO COM A METODOLOGIA DE RECEITA PREVISÍVEL?

ROCK CONTENT

↗ ROCKCONTENT.COM
👤 Por **Diego Gomes** • CEO da Rock Content

Toda *startup* ou empresa de tecnologia com ambição de liderar seu mercado e de consolidar-se precisará montar uma máquina de prospecção de clientes. O desafio é grande, pois nós, fundadores, somos, na maioria das vezes, profissionais técnicos, com *backgrounds* em produto, tecnologia e temos dificuldade para compreender o *mindset* necessário para se "programar" uma máquina de vendas. Por outro lado, fundadores têm esta paixão por aprender e buscar referências. Foi assim que conheci o livro *Predictable Revenue* (título da versão original, em inglês), em 2015.

Naquele momento, a Rock Content – minha primeira empresa – conquistava seus primeiros clientes e ensaiava a montagem de sua primeira máquina de marketing e vendas.

Eu tinha acabado de começar a liderar a área de vendas e buscava referências sobre como superar esse desafio e como entender os componentes necessários para se conseguir alcançar o sonho da previsibilidade. Foi assim que cheguei ao livro *Predictable Revenue*. Lembro-me claramente de um amigo meu ter mencionado o *playbook* usado pela Salesforce.com, do qual Aaron Ross havia sido um dos autores.

Então comprei o livro, que naquela época ainda não possuía versão em português, e mergulhei de cabeça para entender a metodologia. Foi uma jornada fascinante. Em poucos meses, saímos de um time de vendas de um homem só, buscando "aprender a vender", para efetivamente termos nosso primeiro time comercial. No primeiro ano, com muito esforço e vontade de aprender, saímos de 1 para 8 vendedores.

Impressionado com os resultados, eu resolvi mandar um e-mail de agradecimento para o Aaron Ross, e aproveitei para sanar algumas dúvidas. Sendo muito sincero, eu não esperava uma resposta dele, dado que Ross, àquela época, já era o renomado autor da "bíblia de vendas do Vale do Silício". Para minha surpresa, ele generosamente respondeu ao meu e-mail e nos ajudou a evoluir ainda mais, sobre a base que havíamos construído a partir dos aprendizados obtidos com a leitura do livro. Ross apontou nossos erros, se empolgou com os nossos acertos, compartilhou outros livros e materiais de estudo; tudo isso sem pedir nada em troca.

Lembro-me que, na ocasião, eu disse a ele que *Predictable Revenue* precisava existir em português e me voluntariei para ajudá-lo nessa empreitada. Nascia ali um relacionamento de amizade.

Aaron Ross, além de um grande profissional com maestria técnica, também me inspira como ser humano. É um mentor generoso, tem uma família inspiradora – que adoro seguir no Instagram – e segue sempre ativo na missão de construir valor para a nossa indústria, com seus leitores, parceiros e clientes. Tivemos a chance de nos encontrar pessoalmente e remotamente várias vezes desde então e, em todas as ocasiões, Ross criou valor, nos ajudou e demonstrou um interesse genuíno no nosso sucesso.

Quando o *Receita Previsível* foi lançado em português pela primeira vez, em 2017, eu sabia que ele seria um marco na evolução do mercado brasileiro de vendas B2B. Hoje, poucos anos depois, temos um mercado muito mais maduro no Brasil, com muitos times de vendas de alta performance que foram profundamente influenciados pelo trabalho do Aaron Ross.

Receita Previsível é uma obra perene, essencial e provavelmente o principal material de referência para quem está iniciando sua jornada no mundo das vendas B2B (*business-to-business*). O livro vai direto ao ponto, é prático e traz lições super relevantes que podem gerar valor para você e para seu time, de forma imediata. E se você já tem uma máquina de vendas "rodando", ainda assim este livro lhe trará ideias e *insights* valiosos que aumentarão sua performance.

Se você transformar esse conhecimento em prática, os resultados virão!

Quando Ross me convidou para fazer parte desta nova edição, não tinha como não aceitar, pois me senti lisonjeado e assustado com tamanha responsabilidade. Para mim, é uma honra poder compartilhar com você, leitor, um pouco sobre o que esta obra pode fazer pela sua empresa, pois ela transformou a minha. Hoje, a Rock Content conta com uma máquina de vendas de alta performance com quase uma centena de pessoas, espalhadas em 4 países, vendendo para o mundo todo e trazendo a tão sonhada "receita previsível" mês após mês, trimestre após trimestre.

Este livro, agora em suas mãos, significa para mim o primeiro passo de uma longa e desafiadora jornada, com o potencial de transformar a sua empresa, assim como fez com a nossa.

Desejo a você uma ótima leitura e, ainda mais importante, uma ótima prática! ■

> ❝
> Este livro, agora em suas mãos, significa para mim o **primeiro passo** de uma **longa** e **desafiadora jornada**, com o potencial de **transformar** a sua empresa, assim como fez com a nossa.

FEBRACIS

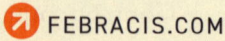 FEBRACIS.COM
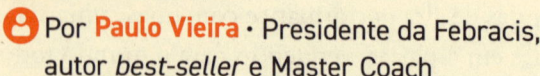 Por **Paulo Vieira** • Presidente da Febracis, autor *best-seller* e Master Coach

Conheci Aaron Ross no início de 2017, por meio dos livros *Receita Previsível* e *Hipercrescimento*, e devo confessar que, neste contato inicial, fiquei chocado, afinal, tudo que ele apresentava era muito diferente do que eu conhecia sobre vendas.

Eram princípios, ferramentas, estruturas e conceitos que quebravam todos os meus paradigmas. Por isso, num primeiro momento, fiquei relutante em implementar esse novo modelo de vendas. Por outro lado, eu sabia que precisava fazer algo diferente, já que até então minha única estratégia fora aumentar o número de vendedores e seguir o mesmo antiquado padrão de vendas.

Em um segundo momento, quando mergulhei verdadeiramente no conteúdo trazido por Ross naquelas duas obras, começamos a implementar na nossa empresa as novas estratégias apresentadas nos livros e tivemos uma grata surpresa: tudo aquilo realmente funcionava. A primeira mudança que implementamos foram os Consultores de Relacionamento, os nossos SDRs (*Sales Development Reps*). Esses profissionais não possuem autonomia para vender. O papel deles é entender as reais demandas dos clientes, quais dores os acompanham e qual o verdadeiro potencial de compra daquela pessoa. Ao entender tudo isso, o Consultor de Relacionamento passa a aquecer aquele *lead* com informações sobre o produto, para, somente depois, passar aquele *lead* para um consultor especialista em fechamento de vendas, que Ross denomina Executivo de Contas, ou *Closer*.

O passo a passo é basicamente o seguinte: o SDR desenvolve um relacionamento inicial com o *lead*, entende suas dores, aquece a venda, compreende o seu verdadeiro interesse e/ou necessidade e, então, o encaminha para o *Closer*. Com isso, os Executivos de Contas passaram a fechar um número muito maior de vendas, em muito menos tempo, fazendo menos perguntas, e deixando de usar um *script* frio e pouco adequado ao perfil daquele tipo de cliente.

Com esse procedimento, nós descobrimos, de fato, o que era um funil de vendas; passamos a ter vários funis e começamos a visualizar claramente as nossas taxas de conversão em cada etapa do funil. Passamos a finalmente entender onde precisávamos melhorar: na etapa dos *leads*, no aquecimento da venda ou no seu fechamento. Tudo isso foi completamente revolucionário: poder entender cada etapa da venda, saber o que corrigir e o que aprimorar.

Outro ensinamento que provocou uma verdadeira revolução em nossa empresa foi a especialização dos vendedores. Antes, todos vendiam de tudo. Hoje, no entanto, temos vendedores especializados em cada um dos principais produtos da empresa. Algumas das vantagens dessa especialização são: a perícia do vendedor sobre o produto, o conhecimento apurado a respeito do perfil do cliente que consome o produto e o entendimento verdadeiro dos resultados e benefícios obtidos pelos consumidores. Isso transforma os vendedores em peritos, o que aumenta significativamente o número de vendas convertidas.

Com as estratégias apresentadas por Ross, acabaram-se os momentos de imprevisibilidade nas vendas da nossa empresa, ou seja, ter mais constância e previsibilidade sobre as vendas se tornou realidade. E isso só foi possível porque agora conhecemos o tamanho do funil, a qualidade dos *leads* e as taxas de conversão. Com isso, alcançamos uma escalabilidade muito maior.

Além das iniciativas já mencionadas aprendidas com Ross, também implementamos o processo de "Sucesso do Cliente", ou *Customer Success*. Em todos os nossos principais produtos, temos alguém cujo único objetivo é garantir que o cliente tenha sucesso e que será verdadeiramente impactado por nosso produto ou serviço. Temos atualmente, em toda a empresa, no Brasil e no mundo, muitos consultores atuando na área de *Customer Success*.

Hoje, a Febracis está presente em três continentes, quatro países, conta com cerca de 1.300 colaboradores e cresce a cada dia. Além do nosso trabalho árduo e bem desenvolvido, foram também os ensinamentos de Ross que contribuíram para que chegássemos até aqui. Com essas novas estratégias, crescemos mesmo em meio às crises e nos tornamos a maior instituição de *coaching* do mundo. A tecnologia de vendas apresentada por Ross quebrou todos os nossos paradigmas e fez com que continuássemos crescendo mesmo quando o resto do mundo não crescia. Até quando o Brasil passava por uma recessão, os métodos, conteúdos e ferramentas apresentados por Ross fizeram com que o nosso lucro e as nossas vendas fossem maiores a cada dia.

Também conseguimos fazer com que o nosso maior treinamento, o *Método CIS*, tomasse a proporção que tem hoje. Um curso que acontece todos os meses, para o qual vendemos em média 6.500 inscrições, sendo que pelo menos 80% delas passam pelos profissionais de vendas que utilizam as técnicas abordadas no livro *Receita Previsível*.

Portanto, fica aqui declarada a minha gratidão, a de nossos 240 vendedores e consultores de vendas espalhados pelo Brasil e pelo mundo, e de cada um dos nossos clientes, que só tiveram suas vidas verdadeiramente transformadas pelos nossos produtos devido às técnicas apresentadas por Aaron Ross.

Para você que vai ler este livro: abra a mente, o coração e experimente o novo.

Um grande abraço!

> Com as **estratégias** apresentadas por Ross, acabaram-se os momentos de imprevisibilidade nas vendas da nossa empresa, ou seja, ter mais **constância** e **previsibilidade** sobre as vendas se tornou **realidade**.

RAMPER

↗ RAMPER.COM.BR
👤 Por **Ricardo Corrêa** • CEO e fundador da Ramper

Eu li o *Receita Previsível* em 2015 – não fui um dos primeiros a ler, mas certamente fui um dos mais impactados pelo livro. Na época, eu já trabalhava com marketing e vendas B2B há cerca de uma década, e estava me preparando para empreender pela segunda vez na área. Para evitar cometer os mesmos erros da primeira empreitada, eu estava consumindo tudo o que podia sobre empreendedorismo e negócios e, invariavelmente, o *Receita Previsível* estava na fila de leituras, tendo sido recomendado por alguns amigos que respeito muito.

A identificação com o livro veio logo nas primeiras páginas, quando Ross descreve a jornada da maioria das empresas B2B, que crescem no primeiro estágio, a partir do *networking* dos fundadores e das indicações dos primeiros clientes, depois entram no segundo estágio, não tendo construído fontes escaláveis de geração de *leads* e modelos replicáveis de vendas, e em seguida caem no temido "vale da morte". Era exatamente o que tinha acontecido comigo no meu primeiro negócio, e o que vi acontecer com tantos outros empreendedores até então.

A cada capítulo, a identificação e a admiração aumentavam – em especial, graças às crenças que eu e Ross compartilhamos, como a do fim do "vendedor artista", a de que a geração de *leads* é a base do crescimento de qualquer empresa, a de que o profissional de vendas não é um mero executor e, principalmente, a de que a *cold call* precisa acabar.

Intuitivamente, durante a minha jornada, eu já havia validado muitos dos ensinamentos do livro – inclusive, naquela época, eu estava fazendo manualmente a prospecção nos moldes da *cold calling 2.0* e colhendo bons frutos. Mais do que funcionar nas empresas que eu estava envolvido, visualizei que, com alguma tropicalização, as técnicas poderiam impactar positivamente todo o mercado B2B brasileiro.

Em 2016, decidi juntar os ensinamentos do livro com tudo o que eu vivenciara até então e iniciar a minha segunda empresa – a Ramper –, com o objetivo de levar tecnologia e educação de vendas para o mercado B2B. De lá para cá, foi possível ver na prática a metodologia funcionar para milhares de empresas no Brasil e no mundo, e ainda expandir esses casos de uso para além do que está no livro. Naturalmente, anos depois, evoluímos e aprimoramos muito a metodologia, e acredito que ainda existe muito trabalho a ser feito.

Minha admiração pelo Aaron Ross não se limita ao livro. Quando iniciei a empreitada com a Ramper, eu enviei um e-mail para ele, sem saber muito o que esperar. Para minha surpresa, ele não apenas o respondeu rapidamente, como demonstrou interesse no que eu estava fazendo. Durante estes anos, foram várias conversas e alguns encontros presenciais nas vindas dele ao Brasil. Em 2017, tive a honra de ajudar a tirar do papel a Universidade Previsível – sou professor desde a primeira turma –, bem como o prazer de ter Ross como *advisor* da Ramper, participando ativamente das nossas iniciativas de educação de mercado e de disseminação dos conceitos modernos de vendas B2B por meio do Ramp Up Tour – evento itinerante da Ramper que já ajudou milhares de profissionais brasileiros de vendas B2B.

Por fim, como pai de 3 filhos e empreendedor, sou um grande fã do Aaron Ross (pai de 9) como pessoa, e tenho grande prazer de poder compartilhar com os leitores um pouco dessa história. ■

> **Intuitivamente**, durante a minha jornada, eu já havia **validado** muitos dos ensinamentos do livro – inclusive, naquela época, eu estava fazendo manualmente a prospecção nos moldes da *cold calling 2.0* e colhendo **bons frutos**.

TAKE

↗ TAKE.NET
👤 Por **Juliano Braz** • VP de Vendas e sócio da Take

Quando me recomendaram ler *Receita Previsível*, confesso que minha primeira reação não foi muita animadora. Pensei que seria mais uma daquelas fórmulas mágicas que prometem resolver todos os problemas de vendas das empresas. Porém, como a dica veio de alguém que sempre me fez boas recomendações, decidi ler mais um livro sobre o assunto.

Segundo ele, *Receita Previsível* era bastante útil, de fácil leitura e tinha um passo a passo para se criar um processo de vendas robusto. Em pouco tempo, me vi envolvido com a leitura. Percebi também que não se tratava simplesmente de mais um livro sobre vendas. Era, na verdade, uma metodologia baseada em resultados concretos e com boas práticas de mercado.

Apesar do tema "vendas" não ser novo para mim, acredito que sempre vale a pena buscar novos conhecimentos. Tive a oportunidade de trabalhar na área de vendas em diversas empresas e setores, desde pequenas *startups* até grandes multinacionais. Isso me deu a chance de participar desde a comercialização de *ringtones* (toques musicais) para celulares até a venda de equipamentos de grande porte. Mesmo já tendo vivenciado e lido muitas coisas, *Receita Previsível* me acrescentou bastante.

Um dos pontos que mais me chamou a atenção no livro é que, como o próprio título indica, não se trata apenas de aumentar a receita, mas sim de torná-la previsível. Sim, é muito importante aumentar a receita, mas é bem melhor e mais saudável prever o seu comportamento. É fácil imaginar a dificuldade que uma empresa enfrenta ao ter que entregar seus produtos com qualidade e dentro do prazo durante um pico de vendas para, em seguida, passar um longo período com vendas em declínio ou em patamares insuficientes. O livro mostra justamente como romper esse ciclo e ter uma consistência maior na curva de receita.

Outro ponto interessante é quando os autores desmistificam uma série de questões, como a ideia de que, para aumentar a receita, é preciso ter mais vendedores na rua ou fazê-los trabalhar mais intensamente, fazendo mais ligações e mais contatos.

Em vários capítulos do livro, os autores também chamam a atenção para a importância de se ter boas ferramentas de gestão das vendas – o que inclui processos e *softwares* –, e um time adequado para a construção do que eles denominam máquina de vendas. A experiência nos mostra a dificuldade em tratarmos uma grande quantidade de *leads* sem esses elementos.

Espero que cada um possa extrair vários aprendizados deste livro. E, por isso, gostaria de destacar três pontos que mais me agregaram para que sua leitura seja mais proveitosa:

- O primeiro é a importância das pessoas no processo de vendas, sejam membros do time, *leads* ou clientes. Em geral, subestimamos esse aspecto nos processos de vendas, o que me pareceu um equívoco ainda maior após a leitura do livro.

- Busque a simplicidade; foi outro grande aprendizado que obtive. Vale a pena começar, mesmo que de forma simples. Possivelmente você cometerá alguns erros. Ainda assim, um processo errado é melhor do que nenhum processo. Um processo errado pode ser corrigido ou até mesmo refeito. O aprimoramento deve ser contínuo.

- E, por último, tenha foco. Esse ponto vale não só para vendas, mas para praticamente tudo na vida. Atualmente, todos sofremos com a falta de tempo e temos certa dificuldade em decidir a melhor forma de distribuí-lo. Em vendas, isso pode ser desastroso e comprometer seriamente os resultados.

Marylou Tyler e Aaron Ross não sugerem, em nenhum momento, que a criação de um processo de vendas é uma tarefa fácil e rápida. Pelo contrário, enfatizam que os resultados da implementação do modelo de

Receita Previsível podem demorar meses, e até anos. Os autores ainda apresentam a seguinte citação de Goethe: "Comece o que você puder fazer, ou sonhar que pode: a audácia tem gênio, poder e magia dentro de si". O momento certo de começar a criar ou melhorar seu processo de vendas é agora. Então, mãos à obra!

Para finalizar, gostaria de destacar duas outras questões que os autores tratam no livro e que há bastante tempo levo como princípios básicos tanto na minha vida profissional como pessoal. O primeiro é que não adianta forçar uma venda. Temos que pensar no sucesso dos clientes. Nossos produtos têm que, necessariamente, gerar benefícios efetivos para eles. O relacionamento com nossos clientes não pode basear-se somente numa receita de curto prazo. O nosso crescimento depende do crescimento do cliente. E, por fim, o trabalho em vendas deve ser uma fonte de satisfação e realização pessoal. "É possível ganhar dinheiro fazendo o que você gosta", dizem os autores. E isso serve para qualquer profissão. Como Ross e Tyler sugeriram, devemos vender um sonho para nossos clientes. Pessoalmente, espero que vocês também não se esqueçam de fazer um plano previsível para buscar seus próprios sonhos...

Desfrutem da leitura! ∎

> [...] não adianta forçar uma venda. Temos que pensar no **sucesso** dos clientes. Nossos produtos têm que, necessariamente, **gerar benefícios efetivos** para eles. O relacionamento com nossos clientes não pode basear-se somente numa receita de curto prazo. O **nosso crescimento** depende do **crescimento do cliente**.

ESTUDO DE CASO: IMAGEM

Do marketing institucional à geração de receita: como a Imagem construiu a sua "máquina de vendas"

A Imagem é uma empresa de tecnologia, criada em 1986 e sediada no interior de São Paulo, que distribui e desenvolve soluções de geotecnologia. Desde 2002, é a distribuidora oficial do *software* ArcGIS da ESRI – líder mundial em sistemas de informações geográficas e inteligência de localização – em todo território brasileiro.

Com o avanço e o acesso às novas tecnologias, a utilização de informações geográficas para a tomada de decisões estratégicas se tornou cada vez mais necessária para empresas de diversos segmentos e para o desenvolvimento de políticas públicas.

Desse modo, a Imagem, ao se tornar a distribuidora oficial de um *software* mundialmente conhecido, conquistou amplo crescimento nacional até 2015, quando sentiu a necessidade de estruturar uma máquina de vendas capaz de promover a continuidade do crescimento, mesmo diante de um cenário econômico desfavorável.

Entre os maiores desafios para encontrar um modelo replicável de geração de receita, estavam:

1. A quantidade de variáveis decorrentes da variedade de segmentos em que atuavam.
2. As mais de 150 features e soluções possíveis de seus produtos.
3. O valor médio relativamente alto dos contratos, de R$150 mil.

■ **Um marketing orientado para o desenvolvimento da marca institucional**

A crise político-econômica brasileira, em meados de 2014, impactou o crescimento da Imagem. O cancelamento de alguns contratos vigentes e a dificuldade na geração de novas oportunidades de negócio fez com que a empresa buscasse alternativas de crescimento e novos modelos de vendas.

O time de marketing, até então, tinha uma atuação mais voltada à comunicação corporativa, focando o posicionamento da marca, o relacionamento com os clientes e a participação em grandes eventos. Então, veio o desafio de expandir sua presença digital, o que desencadeou as primeiras iniciativas de *inbound* marketing, lideradas pelo Gerente de Comunicação.

■ O marketing como gerador de *leads*

A migração para o marketing digital iniciou por meio de campanhas focadas em produtos e problemas de negócios de diferentes segmentos de mercado. Com os primeiros *leads* do tipo rede no funil, o time comercial encontrou um desafio muito comum: os *leads* vindos do marketing não eram priorizados pelos vendedores, os quais alegavam que se tratavam de oportunidades muito menos qualificadas do que as que eles obtinham em suas próprias carteiras. Dessa forma, o processo ainda era pouco efetivo, uma vez que demandava um trabalho praticamente individual com cada vendedor, cobrando sua atuação com os *leads* que o marketing gerava. Ainda assim, mesmo demorando em média 22 dias para que o time comercial atendesse os *leads*, a empresa gerou, por meio de ações de marketing, mais de 1.200 *leads* rede no ano de 2015 e dobrou esse número em 2016.

■ O marketing como gerador de demanda

O aumento na quantidade de *leads* rede, somado à estratégia de crescimento de canais, fizeram com que a empresa aumentasse o time de vendas, o que exigia um alto investimento, trazendo mais custos e não necessariamente mais receita.

Foi aí que, em 2017, o livro *Receita Previsível* caiu como uma luva. A empresa viu a metodologia como uma forma de escalar seus resultados, ampliando sua capacidade de geração de demanda. Logo, foi criado um time de SDRs, com a missão de realizar o processo de qualificação de *leads* e prospecção *outbound*, liderado pela Gerente de Desenvolvimento de Negócios. Com apenas um SDR de nível júnior, responsável pela qualificação, e um estagiário para fazer a triagem dos *leads*, a Receita Previsível começava a dar os seus primeiros passos na empresa.

▪ O marketing como alavanca estratégica

Com uma ambição de crescimento audaciosa para o ano de 2018, a nova Diretora Executiva resolveu ampliar a atuação do marketing da empresa, passando de uma área de comunicação para uma de estratégia e posicionamento de mercado.

Nessa época, a empresa contratou um novo Diretor de Marketing, com ampla visão de negócios e estratégia, que recebeu a meta de levar a empresa a um ritmo de crescimento da ordem de 20% a 25% ao ano. Seu desafio era claro: definir a estratégia de ocupação territorial da empresa, tendo o cliente como pilar central, e fazer do processo de geração de demanda uma das principais alavancas de crescimento.

O primeiro passo foi criar uma estrutura completa de marketing para cuidar da geração de valor na cadeia, de ponta a ponta. Tudo começava pela área de produtos, responsável pelas análises de mercado, estratégia de produtos e verticais e geração de campanhas. Em seguida, vinha a comunicação, que agora focava o marketing digital e a geração de *leads* rede. Por último, havia ainda a área de desenvolvimento de negócios, responsável pela qualificação dos *leads* do *inbound* e pela prospecção *outbound*.

Foi necessário também definir um indicador de performance comum entre essas três áreas: o *pipeline* de vendas a partir da geração de *leads* do tipo alvo – ainda que cada área tivesse seus desafios individuais.

Em 2019, o time de marketing recebeu um novo desafio: trazer *leads* alvo com a mesma qualidade que traziam os *leads* rede e, mais do que isso, convertê-los em receita, encurtando o ciclo de vendas. Nesse momento, procuraram a Universidade Previsível para reestruturar todo o processo de prospecção *outbound*, capacitar o time de SDRs para a *cold calling 2.0*, estruturar o novo time de Executivos de Contas (*Account Executives*) – focado apenas nos *leads* provenientes da máquina de vendas – e, por fim, diagnosticar os gargalos para que a operação pudesse escalar.

Os principais desafios na implementação do *outbound* foram:

Acertar o nicho para os novos clientes

Elaboraram o processo de prospecção de novos clientes juntamente com o time de produtos e inteligência de mercado, focados em nichos e problemas de negócios, criando um processo de "encantamento" para desenvolver o *lead* e transformá-lo em uma oportunidade de negócio em desenvolvimento.

Estruturar o time de vendas

Para o time de prospecção *outbound*, foi necessário contratar pessoas mais maduras, mais ativas, que tivessem facilidade com a linguagem da geotecnologia, além de conhecimento das verticais de mercado nas quais a empresa atua.

Criar metas, painéis e padrões de monitoramento

Foram definidos objetivos individuais, funis de vendas e métricas diferentes para o *inbound* e o *outbound*, no intuito de dar mais clareza às estatísticas geradas.

Melhorar as ferramentas de vendas

Foram feitos investimentos em tecnologias de marketing, contratando-se ferramentas de CRM e de prospecção para criar *dashboards* mais bem estruturados, e *softwares* de automação de marketing digital para aumentar a produtividade do time.

Estruturação de canais de vendas

Aquela velha história – marketing alega que a área de vendas não dá atenção para os *leads* e, por outro lado, vendas argumenta que os *leads* não têm qualidade – tinha de mudar. O foco precisava se voltar para a geração de negócios. Além disso, o processo de vendas para os *leads* do *outbound* precisava mudar, com um time dedicado de Executivos de Contas para os novos clientes e que não se envolveriam nas atividades de prospecção ou de gestão da carteira de clientes atual.

Desenvolver a sinergia entre marketing e vendas

Os Executivos de Contas ficaram sob a gestão do marketing durante 6 meses, trabalhando em sinergia com os SDRs, para ajustarem o processo de qualificação dos *leads* e os critérios de qualificação, além de chegarem a um acordo sobre o que seria considerado um *lead* aceito como qualificado pela área de vendas. Nesse período (primeiro semestre de 2020) em que os Executivos de Vendas trabalharam sob a gestão do marketing, houve um crescimento de 72% no volume de vendas.

■ O marketing como gerador de receita crescente

A Imagem dedicou 3 anos de esforço para conseguir estruturar suas vendas *outbound* e 5 anos para transformar o marketing em um departamento gerador de receita. Agora, a empresa busca pela personalização das mensagens e por estratégias inovadoras de marketing digital para continuarem crescendo.

Em 2018, o departamento de marketing representava 1% do faturamento da empresa. Ao final do primeiro semestre de 2020, no entanto, foi responsável por:

- Diminuir o tempo de respostas dos *leads* rede (*inbound*) para 15 minutos.

- Trazer 90% dos novos clientes.

- Criar 50% das oportunidades de venda (os outros 50% são feitos por *Key Accounts* e pelo time de *Customer Success*, dentro dos clientes ativos).

- Diminuir pela metade o ciclo de vendas: de 8 para 4 meses.

- Trazer 30% das vendas da empresa por meio de ações de geração de demanda.

- Estruturar a prospecção para outras empresas do grupo.

- Na visão da Imagem, os principais fatores que colaboraram para que atingissem a maturidade nesse processo foram:

- O apoio da Diretoria e da alta administração na mudança da mentalidade dos colaboradores da empresa e, principalmente, do time comercial.

- A divisão dos times de *inbound* (*leads* rede) e *outbound* (*leads* alvo), e a subdivisão em segmentos de atuação de cada SDR dos times.

- A estratégia de colocar os SDRs e os Executivos de Contas sob a mesma gestão, para que acordassem sobre o processo e tivessem metas em comum.

- O estabelecimento de indicadores de performance bem claros e definidos, tendo o resultado como principal métrica.

- A construção de uma estratégia de marketing digital baseada nas melhores práticas de automação de marketing, nutrição de *leads*, personalização de conteúdo e melhorias constantes em toda a jornada de vendas digital.

O time de marketing da Imagem se prepara agora para trabalhar com estratégias ainda mais personalizadas de atração e prospecção em grandes contas. Eles estão se preparando para terem integrações mais robustas das ferramentas de marketing, para ensinarem outras empresas do grupo a criar seus próprios processos de prospecção e, por que não?, transformarem a "máquina de vendas" deles num ativo gerador de receita para a empresa, que passaria a oferecer esse serviço ao mercado. ∎

CAPÍTULO 2

DE ONDE VIERAM OS US$ 100 MILHÕES DA SALESFORCE.COM?

Eu nunca tinha feito vendas business-to-business *em toda a minha vida antes de entrar na Salesforce.com, o que realmente me ajudou a fazer as descobertas que fiz.*

COMECE POR AQUI

Começo desafiando um dos maiores equívocos de vendas da atualidade: **o de que o aumento na quantidade de vendedores é o que faz a receita aumentar.**

Você quer ter a tranquilidade de possuir um time comercial que seja uma verdadeira "máquina de vendas", desvendando os segredos de uma receita previsível, gerando novos *leads*, atingindo suas metas de faturamento, sem que você tenha a necessidade de acompanhar tudo, o tempo todo?

Eu criei um processo e um time de geração de *leads* na Salesforce.com que ajudaram a empresa a aumentar sua receita em mais de US$ 100 milhões, nos primeiros anos. Depois, eu e alguns parceiros ensinamos o mesmo processo a outras empresas, ajudando-as a dobrarem e até triplicarem suas receitas incrementais – como a Responsys (compradas pela Oracle por cerca e US$ 1,5 bilhões), a WPromote (o motor de busca n.º 1 pela revista Inc. 500) e a HyperQuality (que triplicou seus resultados em apenas 90 dias). É comum que 80 a 95% do funil de vendas de nossos clientes venham de processos *outbound*, provendo a maior parte (ou a totalidade) do crescimento da receita.

É claro que você quer uma receita maior, mas até que ponto isso é bom se ela não for previsível? Picos de receita que ocorrem esporadicamente não o ajudarão a crescer de forma consistente, todo ano. O que você deseja é, provavelmente, um crescimento que não dependa de adivinhação, de esperança ou daquela correria de última hora no final de cada trimestre ou ano.

> ❝ É claro que você quer uma **receita maior**, mas até que ponto isso é bom se ela não for **previsível**?

Este livro é baseado em quase 20 anos de experiência na Salesforce.com, e em consultorias e estudos para centenas de negócios de tecnologia e serviços, incluindo grandes corporações e *startups*, nos Estados Unidos e globalmente.

▲ OS TRÊS FATORES-CHAVE PARA UMA RECEITA PREVISÍVEL

Construir uma máquina de vendas que crie uma receita recorrente e previsível leva a:

1. **Geração previsível de *leads***, a coisa mais importante para se criar uma receita previsível.

2. **Um time de desenvolvimento de vendas** que transponha o abismo entre marketing e vendas.

3. **Sistemas de vendas consistentes**, pois sem isso não haverá qualquer previsibilidade.

Tanto na Salesforce.com quanto nas empresas para as quais prestei consultoria, descobri que o que gera mais impacto sobre a previsibilidade da receita é a formação de um time de desenvolvimento de vendas *outbound*, focado 100% na prospecção. Isso implica que esse time não fechará negócios ou propostas, tampouco atenderá os *leads* vindos por meio dos processos de *inbound*. Nos próximos capítulos, você aprenderá sobre tudo que realmente funciona no processo que eu batizei de *cold calling 2.0*.

> [...] descobri que o que gera **mais impacto** sobre a **previsibilidade** da receita é a formação de um time de desenvolvimento de vendas *outbound*, focado **100% na prospecção**.

▲ PEQUENAS PÍLULAS

Às vezes, tudo que precisamos é de uma ideia ou de uma boa prática para fazer as coisas se movimentarem novamente. Elaborei este livro como se fosse uma série de pequenas pílulas de ideias que você poderá avaliar e experimentar.

Minha intenção é lhe oferecer, em qualquer página em que abrir o livro, um manual de recursos no qual você encontrará algo útil para aprender e aplicar no seu negócio.

▲ **VOCÊ É NOVO EM VENDAS OU ACABOU DE SE TORNAR CEO?**

Escrevi este livro pensando, principalmente, naqueles profissionais que já têm alguma experiência em vendas, para irmos diretamente aos tópicos mais críticos já no início do texto, como os que tratam dos dolorosos erros de planejamento e sobre *cold calling 2.0*.

Se você é novo em vendas, ou acabou de se tornar CEO de uma empresa, recomendo que leia primeiro o Capítulo 6 (Tipos de *leads* e como gerá-los: sementes, redes e alvos) e o Capítulo 12 (Os sete erros fatais que CEOs e Diretores de Vendas cometem). Esses dois capítulos o ajudarão a ter uma base mínima de conhecimento sobre vendas antes de você ler o restante do livro. ■

A IRREGULARIDADE DAS *HOT COALS*

Que CEO ou Diretor de Vendas nunca viu um gráfico como o mostrado na Figura 2.1? Todos já passaram pela fase **B**, a das *hot coals*,[1] ou talvez estejam nela neste momento; essa etapa estressante no crescimento de uma empresa marcada por resultados não alcançados e incertezas.

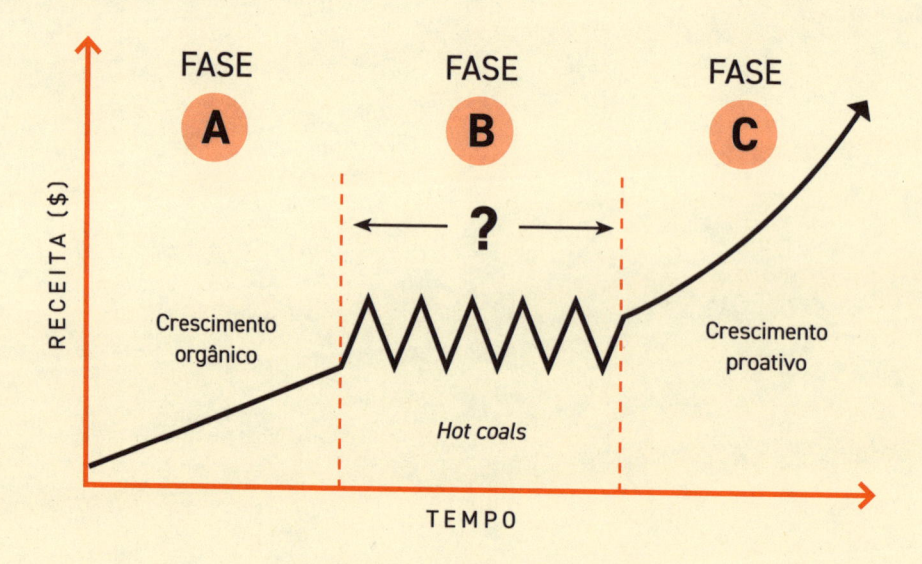

Figura 2.1 - As fases do crescimento

---

[1] *Hot coals* é a expressão em inglês que, traduzida para o português, significa brasas. No livro, o termo é empregado metaforicamente como o período em que a receita tem muitos altos e baixos, o que daria a ideia de alguém tentando andar sobre as brasas. [N.E.]

Geralmente, a causa das *hot coals* é uma mudança da fase **A**, de crescimento orgânico – baseada na conquista de clientes por relacionamento, por um "empurrãozinho" dos fundadores ou por meio de marketing orgânico na internet –, para a fase **C**, de crescimento proativo, calcada no investimento em programas de geração de crescimento previsível.

Mudar de crescimento orgânico para proativo requer novos hábitos, práticas e sistemas, causando uma série de atrasos e frustrações.

Considere que a mudança é um processo que não acontece do dia pra noite. Seja comprometido, persistente e paciente enquanto passa pela fase **B**, a das *hot coals*, mesmo que isso leve meses ou, em muitos casos, até anos.

Meu objetivo com este livro é ajudá-lo a passar pelas *hot coals* da forma mais rápida, fácil e rentável possível.

Isso só acontecerá se os gestores e a Diretoria da empresa tiverem o mesmo nível de compreensão sobre os princípios fundamentais que regem a receita previsível e se tiverem ciência de que não se trata apenas da mera contratação de mais vendedores! ■

OS DOLOROSOS ERROS DE PLANEJAMENTO QUE A DIRETORIA E OS GESTORES DE VENDAS COMETEM TODOS OS ANOS

> **Lembrete:** se você é novo em vendas, recomendo que leia primeiro os capítulos 6 e 12.

Vou iniciar enfrentando aqui um dos maiores equívocos sobre a eficácia em vendas da atualidade: o de que o aumento da quantidade de vendedores e o seu trabalho duro é que fazem a receita aumentar.

Para as empresas que vendem produtos ou serviços com valor entre US$ 100 mil e US$ 250 mil, a velha prática de contratar mais "gente na rua" para promover o crescimento da receita está fracassando com muito mais frequência do que antes.

Vejamos o caso das empresas que almejam um rápido crescimento, principalmente por meio da conquista de novos clientes, em vez daquelas mais maduras, cujo crescimento vem da base já existente de clientes.

O problema das empresas que precisam conquistar novos cliente é que os velhos princípios fundamentais de vendas, que vigoravam antes da internet, não funcionam mais. "Se eu quiser dobrar o crescimento da receita, preciso dobrar o time de vendas para conseguir isso ou fazer o time atual trabalhar o dobro." Esse raciocínio está completamente equivocado.

Em empresas com alta performance em vendas, os vendedores não são a causa do crescimento na taxa de conquista de novos clientes; eles a cumprem, como uma meta a ser batida.

Essa é uma grande mudança no pensamento tradicional de vendas. Estou falando sobre as raízes da questão, e não de simples correlações. É claro que você precisa de mais vendedores se está crescendo, mas eles não são a causa do aumento na conquista de novos clientes.

Além disso, mesmo que "trabalhar mais" e "fazer mais ligações" sejam estratégias de vendas simples e bastante populares entre CEOs, gestores de vendas e vendedores, elas não são escaláveis.

A maioria dos vendedores já se dedica à sua rotina por horas suficientes, e tentar fazê-los trabalhar ainda mais é como tentar resolver um problema indo mais rápido na direção errada. É como jogar água para fora do barco mais rápido no lugar de consertar o vazamento.

Em outras palavras, "trabalhar mais" geralmente significa: "O que estamos fazendo não está funcionando, então, façamos mais da mesma coisa!".

▲ A GERAÇÃO DE *LEADS* É A CAUSA DA CONQUISTA DE NOVOS CLIENTES

Vejo um futuro em que a função de vendas será cada vez mais como uma espécie de gestão de contas, e a responsabilidade pela conquista de novos clientes para fomentar o crescimento da receita recairá, mais diretamente, sobre os profissionais encarregados pela geração de *leads*, com cargos como: Diretor de Geração de Demanda, Diretor de Crescimento do Funil de Vendas, Diretor de Geração de *Leads*, Diretor de Desenvolvimento de Vendas.

Ok, alguns de vocês podem pensar: "Você está louco? Acabei de contratar novos vendedores e eles já estão trazendo novas receitas. Além do mais, isso tem funcionado nos últimos 10 anos. Sem bons vendedores, não teríamos conquistado estes clientes".

Tudo bem! Isso pode ter funcionado no passado. Mas as coisas mudam.

É verdade que você precisa de bons vendedores para conquistar novos clientes. Quanto melhor for a sua geração de *leads*, menos dependente você será da qualidade dos seus vendedores e dos seus processos de vendas. Uma melhor geração de *leads* lhe dará mais margem para cometer erros em vendas.

Façamos uma rápida comparação entre dois competidores hipotéticos, A e B:

COMPETIDOR A	COMPETIDOR B
Está tentando dobrar a receita de US$ 10 milhões para US$ 20 milhões	Está tentando dobrar a receita de US$ 10 milhões para US$ 20 milhões
Possui 10 vendedores e pretende aumentar para 15	Possui 10 vendedores e pretende aumentar para 20
Gera US$ 3 milhões por mês, em novos negócios, por meio de campanhas comprovadas de marketing e geração de *leads* (40% dos negócios), um time de *cold calling 2.0* (40% dos negócios) e parceiros (20% dos negócios)[2]	Gasta dinheiro com marketing e *cold calls* do seu time de vendas, mas ninguém acompanha, de fato, as métricas do funil de vendas. Até agora, o Diretor de Vendas e seus vendedores têm conseguido bater as metas mensais, mesmo que com alguma dificuldade
O tempo de rampagem[3] de um vendedor é de 4 meses, pois a empresa já tem um funil de vendas pré-estabelecido, ao qual o vendedor tem de se ajustar	Eles esperam que o tempo de rampagem de seus novos vendedores seja de 3 a 6 meses, embora esse tempo acabará ficando entre 6 e 15 meses. E isso só se os vendedores conseguirem rampar

Quadro 2.1 – Comparação entre os competidores A e B

Qual desses competidores você aposta que baterá as metas?

O cenário que eu visualizo para muitas empresas, nos próximos 12 meses, quando estiverem elaborando suas metas e planos para o ano seguinte é o seguinte:

1. A Diretoria e/ou o CEO define uma meta de receita agressiva para o próximo ano, baseada principalmente na conquista de novos clientes.

---

[2] Veremos o significado destes conceitos mais à frente.
[3] Rampagem é o termo traduzido do inglês *ramp*, que diz respeito às expectativas de prazos e de vendas que uma empresa estabelece para um vendedor novato atingi-las, desde a data de início do seu trabalho em vendas até um momento futuro no qual esse novo vendedor alcançaria, de forma estável, um determinado patamar de desempenho. [N.E.]

❷ O Diretor de Vendas e/ou CEO divide a meta global de receita pela meta prevista para cada vendedor, e determina o número de vendedores necessários para se alcançar o resultado.

❸ Eles acabam gastando mais tempo do que o planejado para contratarem os novos vendedores, o que atrasa a rampagem dos novos vendedores e faz com que as metas não sejam atingidas.

❹ Assim que o final do ano se aproxima e expõe a defasagem entre a meta projetada e o que foi realizado até então, todos recebem uma dose extra de frustração e estresse para as festas de fim de ano.

▰ UM ERRO FATAL

O pressuposto fundamental que faz com que os Diretores de Vendas sejam demitidos, embora as Diretorias e os CEOs sejam tão responsáveis quanto eles, é a falsa suposição de que os vendedores encontrarão novos negócios por conta própria, com cadastros antigos, fazendo muitas *cold calls*, e com o mínimo de ajuda ou investimento da empresa.

Eles não conseguirão gerar um número suficiente de *leads* por conta própria, ou pelo menos não o bastante para abastecerem seus funis de vendas. Tudo bem, pode até ser que alguns vendedores consigam tal façanha, da mesma forma como algumas pessoas ganham na loteria.

Aqui estão os motivos de os vendedores não gerarem *leads* suficientes:

▸ Vendedores experientes são péssimos em prospecção.

▸ Vendedores experientes detestam prospectar.

▸ Mesmo que um vendedor faça algumas prospecções com sucesso, assim que ele gerar algumas oportunidades de negócio, ficará ocupado demais para fazer novas prospecções. Isso não é sustentável!

A menos que tudo que eu venda sejam grandes negócios (por exemplo, acima de US$ 250 mil), ou eu atue num ramo pautado fortemente pelo relacionamento – como ocorre no caso de grandes agências multinacionais de publicidade e propaganda –, não é mais possível operar um negócio baseado na velha escola de vendas, ou seja: "contrate alguns vendedores experientes, dê a eles uma região de vendas e deixe-os se afundar ou nadar".

▲ COMO A DIRETORIA E O CEO AGRAVAM O PROBLEMA

Logo que um produto fica pronto para ir ao mercado e algum cliente se interessa por ele, a Diretoria e o CEO tendem a se precipitar, definindo metas de 100% ou mais de crescimento. Eles, de forma arbitrária, estabelecem as metas – uma vez que ainda não há histórico de vendas do produto para balizar as metas – e pressionam o Diretor de Vendas.

O Diretor de Vendas engole as metas – especialmente quando não tem voz ativa na definição delas – e, a partir daí, vê seu tempo consumido na contratação dos novos vendedores.

Os vendedores não cumprem o plano. A empresa não bate as metas. Os executivos da empresa são substituídos.

Por que é mais fácil, para pessoas e empresas, fazerem mais daquilo que não dá certo do que gastarem algum tempo descobrindo o que realmente funciona?

Lá pelo segundo trimestre, quando os vendedores já não estarão cumprindo suas metas para o ano, haverá uma tendência, da Diretoria, do CEO ou da Diretoria de Vendas, de se contratar mais vendedores! "Estamos abaixo das nossas metas, precisamos contratar mais vendedores!". Como isso pode fazer sentido?!

Por que Diretores e CEOs continuam cometendo esse mesmo erro idiota? Sob pressão ou estresse, a maioria das pessoas tende a se abrigar no lugar mais seguro que conhecer, em vez de assumir riscos e tentar coisas novas. Elas tendem a fazer mais daquilo que não está funcionando, em vez de recuar, tomar fôlego e tentar descobrir outra abordagem.

▲ ALGUMAS RESPOSTAS

Infelizmente, hoje, ainda não há qualquer solução rápida e replicável para o problema da geração de *leads*. Porém, se você ainda não tem qualquer programa replicável de geração de *leads*, já está ficando para trás na preparação de suas metas para os próximos 6 a 12 meses.

Apesar das exigências de quem esteja financiando esta iniciativa, pode levar de 2 a 12 meses – ou até mais – para se implementar o processo de geração de *leads* e começar a ter uma receita previsível. O tempo até se obter os primeiros resultados voa, pois deve-se considerar:

- O tempo gasto na definição de qual será o programa e quando iniciá-lo.
- O tempo para implementá-lo e (espero!) começar a gerar os primeiros *leads*.
- E, finalmente, o acréscimo de tempo equivalente a um ciclo completo de vendas, até que o primeiro negócio seja fechado.

O que funciona melhor na criação de um fluxo contínuo de novos *leads*:

- Tentativa e erro na geração de leads, o que requer paciência, experimentação e dinheiro.
- Marketing de conteúdo, ensinando por meio de *webinars*, artigos, envio de *newsletters* por e-mail e eventos presenciais, para posicionar você como uma autoridade na sua área de atuação.
- Paciência na construção do efeito de propagação boca a boca, que constitui a fonte mais valiosa de geração de *leads*, porém, a mais difícil de se obter.
- *Cold calling 2.0*: essa é, de longe, a mais previsível e controlável fonte de geração de novos negócios, mas é preciso foco e *expertise* para fazê-la bem feita. Felizmente, neste exato momento, você está segurando o guia para implementar essa metodologia.
- Construir um ecossistema de parceiros altamente motivados, de alto valor e com perspectivas de resultado no longo prazo.
- Relações Públicas: é excelente sempre que gera resultados concretos!

▲ COMECE COM MAIS CONSCIÊNCIA

Comece com mais consciência, identificando claramente quantos novos negócios você está gerando:

- O seu time de gestores e diretores sabe quantos novos negócios qualificados precisam ser gerados por mês? Essa é a segunda métrica mais importante a ser controlada, depois do número de negócios fechados.

- A quantidade de novos negócios gerados por mês está sendo acompanhada pela Diretoria da empresa?

- Existe uma linguagem comum e conceitos uniformes sobre termos como: *prospects*, *leads* e oportunidades negócio? Um dos maiores problemas entre gestores e diretores é, geralmente, a falta de comunicação e mal-entendidos sobre terminologias e indicadores usados.

Pelo menos, se seu time de gestores e a Diretoria da empresa estão cientes da lacuna na geração de novos negócios – a quantidade de novos negócios necessários para bater suas metas e as fontes prováveis de onde eles virão –, você pode começar a ser mais realista, tanto em relação às suas metas quanto aos planos para atingi-las.

Você também ficará menos sujeito a perder a confiança do seu time e dos investidores – se for o seu caso –, por ser surpreendido pelo fracasso no alcance das metas, sem sequer saber os motivos. ■

VOCÊ JÁ SE SENTIU UM FRACASSO TOTAL?

Quais frustrações, desafios ou falhas você está enfrentando nesse momento, na vida ou no trabalho? Você já pensou que, a partir desses desafios, pode surgir o seu maior sucesso?

Você deve ter lido na capa deste livro, ou no meu blog, que o processo de vendas que eu criei ajudou a Salesforce.com a gerar US$ 100 milhões em receita adicional recorrente. A semente para todo esse sucesso – e a própria ideia de escrever o *Receita Previsível* – foi plantada, de forma incrivelmente dolorosa, por uma falha que eu cometi.

Em 1999, eu era o fundador e CEO da LeaseExchange.com, uma empresa baseada na internet, com cerca de 50 colaboradores. Aprendi da maneira mais difícil o que funciona e o que não funciona em gestão de vendas, basicamente me enrolando muito e não pedindo ajuda aos outros. Depois de levantar US$ 5 milhões em capital de risco e trabalhar com ele por alguns anos, fechamos a empresa em 2001.

O sonho havia acabado! Você já teve um sonho que acabou?

Eu também me divorciei, o que foi ainda mais doloroso. Mas não fique sonhando com um livro sobre amor previsível! Você já esteve muito empolgado com alguma na sua vida – mais animado do que tudo –, e depois viu isso acabar? Foi terrível. E, como fundador e líder, me senti responsável por acabar com os sonhos das pessoas que trabalhavam comigo.

Durante a "marcha fúnebre", enquanto a empresa morria, fiquei muito tempo afastado do trabalho, sozinho. Me tornei um eremita – exatamente a pior coisa a se fazer quando o que eu mais precisava era de apoio.

Durante esse período de fuga, especialmente nas noites de sexta-feira, eu ficava tomando vodca enquanto jogava no computador. Era só uma forma de me afastar de tudo aquilo que estava acontecendo.

E, finalmente, quando as portas da empresa se fecharam definitivamente, me senti aliviado porque aquele ritual mórbido havia terminado.

Quando olho para trás, me sinto grato por todos os erros que cometi como CEO ou como empreendedor. Eu era realmente um péssimo gestor. Por mais sofrido que tenha sido, o aprendizado daquela experiência na LeaseExchange me preparou para o sucesso na Salesforce.com e para o meu negócio atual, a Predictable Revenue Inc.

Quando entrei para a Salesforce.com, deixei meu ego na porta e assumi a função de vendedor júnior, que pagava naquela época cerca de US$ 50 mil por ano e mais um pequeno variável em ações.

Eu quase não fui para a Salesforce.com, mas estava tão determinado a me juntar a eles que, para isso, faria o que fosse necessário.

Deixei de ser CEO da minha própria empresa para ser atendente de televendas da Salesforce.com. O orgulho já impediu você de fazer alguma coisa importante para a sua felicidade ou para o seu futuro?

> ❝ O **orgulho** já **impediu** você de fazer alguma coisa **importante** para a sua **felicidade** ou para o seu **futuro**?

Se por acaso você se cadastrou no site da Salesforce.com no final de 2002, é provável que eu tenha sido aquela pessoa que ligou para você ou enviou um e-mail para tentar descobrir se você era ou não um *lead* em potencial.

Aceitei aquele emprego porque, antes de me arriscar em outro negócio, eu precisava me preparar melhor, fazendo um MBA, para ser capaz de construir um departamento de vendas de alto nível. Eu também não queria uma empresa com receitas aleatórias, mas sim algo cuja receita fosse previsível.

Hoje, eu vejo que isso é ainda mais importante do que eu pensava e, por esse motivo, decidi escrever este livro. Muitos CEOs e Diretores de Vendas cometem erros na formação de seus times de vendas, perdendo milhões de dólares e muito do seu tempo.

Acabei criando um processo comercial completamente novo e um time de vendas internas que ajudou a Salesforce.com a conseguir US$

100 milhões em receita adicional recorrente, em uns poucos anos de trabalho. O time e o processo se tornaram sustentáveis e ainda continuam fortes após todos esses anos.

Foram os meus próprios erros que me ajudaram a enxergar por que valeu a pena começar tudo de novo, do fundo do poço. Hoje eu sou grato aos meus erros!

Quais foram os seus maiores ou mais recentes erros? Pelo que você é grato a eles? Você consegue imaginar como pode se beneficiar dos seus desafios atuais?

Fracasso é apenas o julgamento que fazemos sobre uma determinada experiência. Na verdade, não existem fracassos, apenas oportunidades de aprendizagem. ∎

> **❝ Foram os meus próprios erros que me ajudaram a enxergar por que valeu a pena começar tudo de novo, do fundo do poço. Hoje eu sou grato aos meus erros!**

O PROCESSO DE VENDAS DE US$ 100 MILHÕES

A Salesforce.com enfrentava um problema: eles haviam contratado um monte de vendedores externos, com altos salários, para trazer propostas e fechar novos contratos. No entanto, faltava-lhes novas oportunidades de negócio e *leads* para "alimentá-los". Suas coleções de cartões de visita se mostraram inúteis, com raríssimas exceções. Tivemos muitos vendedores caros, com funis de venda um tanto "magros".

Embora as áreas de marketing e relações públicas da Salesforce.com gerassem uma grande quantidade de *leads*, eles eram, na sua grande maioria, pequenos negócios e não grandes empresas.

Antes de ir para a Salesforce.com, eu só havia trabalhado com vendas ou geração de *leads* na época da faculdade, quando eu tinha um negócio de serviços de pintura.

Ser completamente ignorante no assunto acabou ajudando, porque me proporcionou outra perspectiva sobre vendas e geração de *leads*. Após fazer algumas *cold calls*, percebi o quanto era uma perda de tempo e desisti. Eu odiava aquelas *cold calls* não só porque as pessoas para as quais eu ligava as detestavam, mas principalmente porque eram completamente ineficazes. Eu estava convicto de que deveria existir um jeito melhor de se fazer aquilo, que fosse mais agradável, interessante e produtivo.

Também li uma porção de livros sobre vendas e prospecção que acabei jogando fora. A maioria deles dizia as mesmas coisas, de forma diferente, e não tinha a menor utilidade, embora teriam sido ótimos se ainda estivéssemos na década de 1980.

Senti uma enorme frustração ao perceber que teria de começar do zero.

Acabei criando um processo e um time interno de prospecção vendas que gerou, de forma consistente, novas oportunidades qualificadas de vendas para os vendedores externos.

Praticamente tudo mudou:

- Os vendedores externos não tinham mais que fazer a qualificação dos *leads* vindos do site.
- Os vendedores externos não se envolviam mais com questões de documentação e do processo de pedido.
- Os vendedores externos não fechavam mais negócios de pequeno valor.
- Os vendedores externos não tinham mais que ajudar nas atividades de marketing.
- Os vendedores externos não se dispersavam mais.

Em vez disso, o time interno de prospecção de vendas *outbound* tinha uma única missão: gerar novas oportunidades de vendas em empresas com as quais nunca tivéssemos feito negócios sem, contudo, usar a velha *cold calling*. A seguir, deveriam repassar as oportunidades qualificadas para um dos vendedores externos que seria o responsável pelo fechamento do negócio.

Esse time de prospecção *outbound* só abordava novas contas ou contas inativas há pelo menos 6 meses. Esse time também não lidava com qualquer *lead* gerado por meio de indicação ou pelo marketing. Nesse último caso, os *leads* eram enviados para um outro time, o de *market response* (resposta ao mercado), para ser devidamente qualificado e repassado aos vendedores externos, que chamaremos de Executivos de Contas.

Em nenhum momento desse processo de geração de *leads* nós usamos a *cold calling*, pois, para mim, era a mais pura perda de tempo. Eu cheguei a essa conclusão pela minha própria experiência.

Além de contratar bons profissionais e criar um processo comprovadamente replicável, havia duas outras questões cruciais para monitorar o sucesso do time, ano a ano:

Resultados previsíveis – ROI (Return On Investment)

Tínhamos um processo de prospecção simples, muito eficaz, replicável e bastante previsível. A metodologia e o sistema de treinamento adotados faziam com que o pessoal do time interno de prospecção *outbound* – os chamados SDRs (*Sales Development Reps*) – obtivessem grande sucesso. Cerca de 95% deles superavam as metas ainda na fase de rampagem.

Depois de 12 meses registrando dados e resultados, tornou-se possível prever a receita em função das novas contratações. Eu sabia, por exemplo, que se contratasse alguém ganhando US$ 100 mil por ano – incluindo todas as despesas –, essa pessoa seria capaz de gerar uma receita anual por volta de US$ 3 milhões. Eu também conseguia prever o momento em que um vendedor passaria a gerar um fluxo de caixa positivo para a empresa, ou seja, ele se pagaria.

> ❝ Depois de 12 meses registrando dados e resultados, tornou-se possível **prever a receita** em função das novas contratações.

Sistemas de autogerenciamento

Tudo era um sistema. Eu não queria que eu ou qualquer outra pessoa fosse um empecilho para o sucesso do time. E se eu fosse atropelado por um ônibus? O time deveria ser autogerenciado de forma que pudesse crescer e atingir os resultados.

Os resultados de vendas só são escaláveis se o CEO e os gestores são colocados de fora do processo. Muitas empresas são dependentes de seus CEOs e Diretores de Venda para vender. O que pode ser feito para tornar o time de vendas e os resultados independentes da ajuda direta deles? A exceção a essa regra é apenas o *coaching* do time. ∎

FAÇA DA SUA FALTA DE DINHEIRO UMA VANTAGEM

CAPÍTULO 2

Desejo sinceramente que você utilize as técnicas apresentadas neste livro para aumentar a sua receita de forma mais previsível. Mas não aja cegamente; seja criativo. Você precisa assumir o controle do seu destino e não deixar que as "razões" se coloquem no caminho dos resultados.

O que está impedindo você de gerar mais *leads* e conseguir receitas mais previsíveis? Você acha que é o mercado, a economia, a falta de dinheiro, não ter as pessoas certas ou as barreiras tecnológicas?

> ❝ O que está impedindo você de gerar mais *leads* e conseguir receitas mais **previsíveis**?

Uma desculpa que escuto o tempo todo é: "Não temos verba de marketing"; ou "Não temos orçamento de vendas"; ou ainda "Se tivéssemos mais dinheiro...". Você não precisa de um monte de dinheiro para criar os resultados e a empresa (e até a vida) que você deseja. A escassez de dinheiro é uma desculpa comum para a falta de criatividade.

Você, seu CEO, seus gestores ou funcionários podem dar uma série de desculpas razoáveis sobre o porquê de uma nova ideia, negócio ou projeto não ir para frente. As desculpas mais comuns são: é preciso mais tempo, mais dinheiro para o marketing; o time não está muito motivado; o projeto demanda mais recursos, entre outras.

Nenhuma dessas questões constitui obstáculos reais para você avançar e chegar onde quiser. Mesmo que o seu objetivo seja um crescimento maior, uma receita de vendas mais previsível, abrir o seu próprio negócio ou transformar seus funcionários em miniCEOs. Sempre há uma maneira de avançar, mesmo sem dinheiro.

Dinheiro pode ajudar, mas você não precisa de um mega orçamento de marketing para aumentar as vendas.

Na Salesforce.com, nós não gastamos nada em marketing para montar um time de vendas *outbound* e gerar US$ 100 milhões em resultados. Sabe qual foi o investimento inicial? O salário de uma única pessoa.

Você deve estar pensando: "É fácil falar. Os resultados vieram de forma fácil para você. Afinal, você trabalhava na Salesforce.com, uma empresa conhecida. Você não precisava de orçamento, pois tinha uma marca forte e todo o suporte de marketing de que precisava. E se eu quiser aumentar as vendas e não tiver tudo isso?".

É verdade, a Salesforce.com sempre foi muito conhecida na região de São Francisco e pelas *startups*. Mas quando começamos a formar o time de vendas *outbound*, focando a lista das 5 mil da revista Fortune, em meados de 2003, pouquíssimas empresas de grande porte, fora da Califórnia, já tinham ouvido falar da Salesforce.com. Nove em cada dez vezes que ligávamos para um cliente em potencial, eles nos indagavam se éramos de alguma empresa terceirizada de vendas ou de recrutamento.

Em parceria com Shelly Davenport, minha gerente na época, eu tinha um grande desafio pela frente: criar um processo de vendas *outbound* de sucesso, sem qualquer orçamento ou suporte do marketing, em uma empresa pouco conhecida no mercado formado pelas 5 mil maiores empresas da Fortune.

Isso aconteceu logo após o estouro da bolha das empresas pontocom, quando o nível de confiança nesse tipo de empresa atingiu o menor patamar de todos os tempos.

Os hoje conhecidos *softwares* do tipo SaaS (*Software as a Service*) ainda não eram aceitos como uma opção viável pela maior parte das grandes empresas. Além disso, a Gartner, uma das maiores empresas de pesquisa e consultoria na área de tecnologia do mundo, se referia à Salesforce.com, naquela época, como uma boa alternativa de *software* para pequenas empresas, mas não para grandes corporações.

Nesse período, a Salesforce.com gastou milhões em marketing. A maior parte desse esforço só alcançou os tomadores de decisão de empresas de pequeno porte.

No estágio inicial de formação do nosso time de vendas *outbound*, não tínhamos orçamento para desenvolver esse projeto, além da minha própria remuneração. Na verdade, se eu tivesse um orçamento generoso e um monte de pessoas sob o meu comando, não teria sido forçado a usar minha criatividade de forma tão contundente para solucionar o problema e ser capaz de gerar novos negócios.

O que nós tínhamos?

- **Uma pessoa totalmente comprometida** (eu), que poderia dedicar 100% do seu tempo ao desenvolvimento do projeto.

- **Duas ferramentas principais:** o próprio *software* da Salesforce.com e uma ferramenta on-line de cadastro de empresas e contatos chamada OneSource (similar ao Hoovers).

- **Liberdade para testar** durante 3 meses o papel de empreendedor interno, ou miniCEO.

- **Uma atitude otimista** que viu nessa situação um desafio interessante, que poderia ser divertido de se resolver.

- **O compromisso de criar** algo que fizesse sentido, em termos de vendas, para a Salesforce.com.

O ponto-chave neste caso é que quando você dispõe de poucos recursos, mas tem um objetivo claro e o encara como um desafio que vale a pena, acaba forçando a si mesmo e ao seu time a serem criativos.

> Quando você dispõe de **poucos recursos**, mas tem um objetivo claro e o encara como um desafio que vale a pena, acaba forçando a si mesmo e ao seu time a **serem criativos**.

As dificuldades normalmente levam a uma maior criatividade, tanto sua quanto do seu time. Não deixe que a dita "realidade" o impeça de seguir em frente. ■

CAPÍTULO 3

COLD CALLING 2.0: COMO AUMENTAR RAPIDAMENTE AS VENDAS SEM TER DE FAZER *COLD CALLS*

Cold calls *são o fim! Será que não tem um jeito melhor? Claro que tem! E eu vou contar para você qual é.*

AS PRIMEIRAS INOVAÇÕES

Eu hesitei bastante em usar o termo *cold calling 2.0*, porque ele não tem nada a ver com *cold calling*, ou "chamada a frio". Na verdade, se você faz *cold calls* na sua empresa, está cometendo um grande erro.

Cold calling 2.0 significa prospectar clientes com os quais você nunca teve um relacionamento comercial anteriormente, sem usar a tradicional *cold call*. Eu defino essa antiga *cold call* como: uma ligação telefônica que você faz para alguém que não conhece e que não espera pelo seu contato. Ninguém gosta desse tipo de coisa, nem quem faz a ligação, tampouco quem a recebe, não é mesmo?

Cold calling 2.0 também significa ter processos e sistemas bem estabelecidos para gerar novos negócios e *leads* de forma previsível. É saber que um esforço X levará a um resultado Y. Implementada da forma correta, a *cold calling 2.0* pode se tornar o recurso mais previsível na geração de novos negócios em uma empresa, como foi o caso da Salesforce.com, da WPromote, da Responsys e da Acquia.

Embora a *cold calling 2.0* fosse um sistema com muitas etapas, havia uma inovação que fez com que a "bola de neve" começasse a rolar.

> **Cold calling 2.0** significa prospectar clientes com os quais você nunca teve um relacionamento comercial anteriormente, sem usar a tradicional *cold call*.

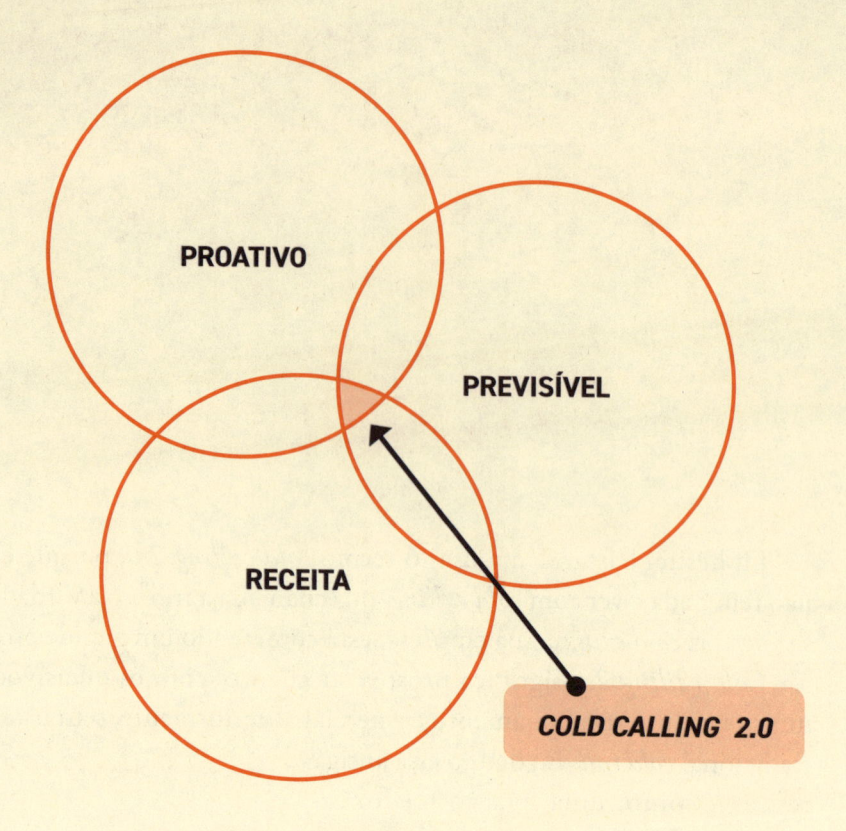

Figura 3.1 - A *cold calling 2.0*

Era início do ano e eu estava testando a tradicional *cold calling*, ligando para todos aqueles números de telefone para ver se funcionava. O resultado era muito pequeno e demorava demais. Eu descobri que poderia gerar, em média, apenas duas oportunidades altamente qualificadas por mês trabalhando daquela forma. Enfatizo aqui a alta qualidade das oportunidades de negócio porque, frequentemente, os SDRs entregam oportunidades de vendas pouco qualificadas para os Executivos de Contas, os *Closers*, só para inflarem seus próprios resultados; agendando demonstrações, reuniões e apresentações improdutivas. Então, quando me refiro a "oportunidades altamente qualificadas" quero dizer precisamente isso.

Naquela época, a minha meta era gerar oito oportunidades de negócio altamente qualificadas por mês. Mas, com as *cold calls*, eu estava conseguindo apenas duas. Putz! Como eu faria para quadruplicar o resultado?

▲ 1ª INOVAÇÃO

A maior dificuldade para se prospectar em empresas que têm muitos gestores não é chegar aos tomadores de decisão, influenciadores e pessoas-chave. É, antes de tudo, encontrá-las!

Muitas vezes, a pessoa que dá a última palavra, como o CEO ou – como no caso da Salesforce.com – o Diretor de Vendas, não é a pessoa mais adequada para se ter as primeiras conversas. Além disso, nas grandes empresas, pode haver tantas pessoas com as palavras "vendas" e "marketing" nos títulos de seus cargos, que fica quase impossível para alguém de fora saber quem faz o quê.

Eu aprendi isso ralando muito, fazendo *cold calls*, enviando e-mails, trabalhando duro. Percebi, então, que passava a maior parte do tempo procurando a pessoa certa, e não tentando vender ou qualificar as oportunidades.

Se eu conseguisse achar a pessoa certa, poderíamos ter uma conversa realmente produtiva sobre vendas e negócios. Levou uma eternidade para eu achá-las, especialmente naquela lista improdutiva de empresas da Fortune 5000.

No desespero, resolvi fazer uma experiência

Eu sempre acreditei que o envio de e-mails em massa para executivos não funcionaria. Será que eu não devia trabalhar cuidadosamente cada e-mail para torná-lo mais personalizado?

Redigi um e-mail com aquela introdução clássica (e fria): "Você tem algum desses desafios? X, Y, Z [...]".

Também escrevi um e-mail totalmente diferente, curto e caloroso, em formato de texto simples – sem nenhum recurso HTML –, pedindo apenas a indicação da pessoa certa na empresa para eu tratar de determinado assunto. (Não compartilho neste livro os e-mails reais que desenvolvi por duas razões, que vou explicar mais à frente, na parte que fala sobre e-mails.)

Nesse momento, aprendi duas lições valiosas: (a) não pressupor nada, e (b) experimentar.

Em uma tarde de sexta-feira, decidi enviar dois tipos de e-mails com abordagens diferentes para fazer uma experiência.

No primeiro, adotei uma abordagem clássica de vendas, com aquele tipo de introdução que já mencionei, e enviei para 100 executivos da lista da Fortune 5000 que tínhamos na Salesforce.com.

No outro e-mail, redigi uma mensagem curta e calorosa também para 100 pessoas da mesma lista.

Dos 200 e-mails enviados, havia dez respostas na minha caixa de entrada na manhã seguinte. Só para lembrar, eram contatos de executivos do primeiro escalão de grandes empresas. Justamente o tipo de gente com quem eu queria falar. Sabem qual foi o resultado?

Para o primeiro e-mail, aquele usando as tradicionais abordagens de vendas, a taxa de retorno de respostas foi 0%. Isso mesmo, zero de retorno!

Para o segundo e-mail, o curto e caloroso, consegui incríveis 10%. Das dez respostas obtidas desse grupo, pelo menos cinco eram positivas e me sinalizavam a melhor pessoa na empresa para conversar sobre automação da força de vendas.

▲ 2ª INOVAÇÃO

Enviar e-mails em massa para executivos do primeiro escalão da lista da Fortune 5000, com modelos específicos de e-mail, pode gerar taxas de resposta de 9% ou mais. Observei que essa taxa de resposta entre 7% e 9% se manteve estável ano após ano, mesmo para meus clientes atuais.

▲ UM AUMENTO DE 500% NO RESULTADO

Um mês após iniciar essa abordagem, eu havia gerado 11 oportunidades altamente qualificadas de vendas, ou seja, um aumento de 500% em relação às duas oportunidades que vinha gerando com a *cold calling* tradicional. Esse crescimento levou ao incremento da receita na mesma proporção.

Surgia naquele momento um ponto de inflexão da *cold calling 2.0*: enviar e-mails em massa para executivos do primeiro escalão e perguntar sobre qual a melhor pessoa na empresa para se ter uma primeira conversa sobre determinado assunto.

◢ AS COMPLEXIDADES DO CRESCIMENTO

Uma coisa é uma pessoa enviar uns e-mails durante uma semana ou um mês. Outra completamente diferente é criar um fluxo contínuo de oportunidades de vendas que vem de todo um time, ano após ano.

A primeira campanha de e-mails é apenas o primeiro passo de uma longa jornada.

A grande parte da metodologia *cold calling 2.0* apresentada neste livro – e fora dele também – tem objetivo de assegurar que o seu sistema gere resultados previsíveis ao longo dos anos, e com praticamente qualquer tipo de vendedor e tamanho de time. ■

TERMOS E ABREVIAÇÕES

Em vendas, são usados os mais diversos tipos de termos e abreviações. A seguir, apresento os principais termos e abreviações que utilizo neste livro e o que eles significam.

Sales Development Rep. (SDR)

Os SDRs são os Representantes de Vendas[4] *outbound*. O ideal é que esses profissionais sejam especializados apenas em gerar *leads* para o processo de vendas *outbound*. Os SDRs não fecham negócios e nem qualificam *leads* gerados pelos processos de *inbound*, por meio do site da empresa ou redes sociais.

Outbound Sales Rep. (OSR)

É o Representante de Vendas *outbound*. É apenas uma nomenclatura diferente para o SDR.

Market Response Rep. (MRR)

É o Representante de Vendas interno que cuida exclusivamente do processo de qualificação de *leads* vindos do site ou redes sociais da empresa.

---

[4] Nota de esclarecimento: o conceito de Representante de Vendas usado neste livro não se refere ao termo Representante Comercial Autônomo (RCA) ou Representante de Vendas, largamente usado no Brasil. No livro, o sentido está mais ligado a um funcionário que exerça uma função no processo de vendas. [N.E.]

Account Executive (AE) ou Executivo de Contas (EC)

São os vendedores, internos ou externos, responsáveis por fechar os negócios com as empresas (contas) repassadas a eles pelos SDRs ou MRRs.

Sales Force Automation (SFA)

São os sistemas (*softwares*) ou serviços baseados na internet que normalmente os times de vendas utilizam para gerir as contas e contatos, automatizar o processo de vendas e reportar os resultados de vendas.

Customer Relationship Management (CRM)

Softwares ou serviços baseados na internet, que tipicamente incluem a automação da força de vendas mais outros recursos de marketing e suporte a clientes, ou seja, todos os meios pelos quais uma empresa interage com um cliente, em um único sistema.

Em qualquer empresa, a falta de entendimento sobre o significado de certos termos e sobre o papel de cada pessoa são fonte constante de problemas e conflitos entre funcionários. Assegure-se de que o seu time saiba e compreenda os termos acordados e o papel de cada um. ■

DESCANSE EM PAZ, *COLD CALLING*

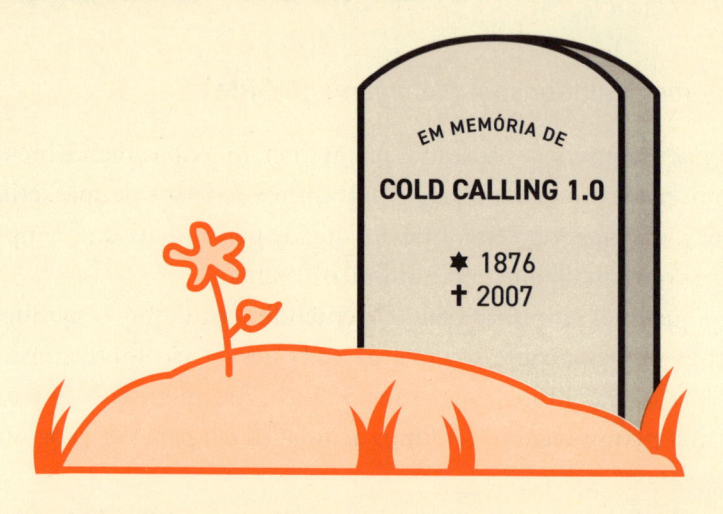

Figura 3.2 - Em memória de *cold calling 1.0*

◢ POR QUE AS ANTIGAS TÉCNICAS DE VENDAS NÃO FUNCIONAM MAIS?

Mesmo que, vez ou outra, uma *cold call* ou até uma carta de vendas tradicional possa funcionar, isso é cada vez mais raro. Há três dinâmicas no mercado que vêm mudando a natureza do processo de prospecção e suas chances de êxito:

❶ Os compradores estão "de saco cheio" e estão se tornando cada dia mais resistentes aos métodos tradicionais de vendas e marketing, *cold calls* inconvenientes e materiais promocionais genéricos.

② **Tecnologias de vendas 2.0**. Tanto os sistemas de CRM quanto aplicativos de vendas 2.0 tornaram mais fácil do que nunca analisar cenários de implementação, execução e auditoria do ROI de uma determinada metodologia de prospecção.

③ **Maior controle sobre os resultados do marketing**. É cada vez maior a pressão sobre os orçamentos de geração de *leads* e marketing para comprovarem seu impacto nos resultados, especialmente na receita. Cada projeto é avaliado: "Qual é o resultado? Como é medido?". Os gestores querem provas sobre a receita gerada. Você já mediu os resultados do seu processo de *cold calling*? Possivelmente ele apresentará resultados muito melhores em relação à realização de atividades do que de resultados de geração de receita. Os gestores estão olhando esse processo cada vez mais de perto e não estão satisfeitos com o que estão encontrando.

> 66 Os compradores estão **"de saco cheio"** e estão se tornando cada dia mais **resistentes** aos métodos tradicionais de vendas e marketing, *cold call***s** inconvenientes e materiais promocionais genéricos.

▲ **EM QUE A *COLD CALLING 2.0* É DIFERENTE?**

Eu defino uma *cold call* como: telefonar para alguém que não conhece você e que não está esperando a sua ligação.

Cold calling 2.0 significa prospectar novos clientes sem nunca fazer qualquer *cold call*. No entanto, o mais importante é que, quando executado de forma sistemática, em alto volume e por um time especializado de desenvolvimento de vendas, o processo de *cold calling 2.0* pode se tornar o principal motor de geração previsível e sustentável de novos negócios e de receita para a empresa.

Três fatores-chave para o desenvolvimento de um time de sucesso são:

◉ **Nada de *cold calling*!**
Prospecte novas contas com novos métodos, em vez de importunar as pessoas com ligações indesejadas ou ter que lidar

com secretárias, atendentes e outros tipos de barreira de acesso. Utilize, por exemplo, e-mails simples para obter o contato das pessoas com as quais você realmente deve falar e que, por esse motivo, esperarão, muitas vezes de forma receptiva, a sua ligação.

> 66 Prospecte novas contas com **novos métodos**, em vez de importunar as pessoas com ligações indesejadas ou ter que lidar com secretárias, atendentes e outros tipos de barreira de acesso.

Foque os resultados e não as atividades!

Isso significa que o número de ligações feitas por dia, ou visitas agendadas não são métricas tão interessantes ou até importantes. Em vez disso, monitore métricas como: número de ligações de qualificação por dia ou semana, quantidade de oportunidades de negócio qualificadas por mês. Em geral, o monitoramento da quantidade de ligações só é feito no período de treinamento e orientação de novos profissionais de vendas.

Tudo é sistematicamente conduzido por processos!

Isso inclui práticas de gestão, contratação, treinamento e, claro, o processo de prospecção. Ao enfatizar a replicação e a consistência, a curva de crescimento da geração de novos negócios e da receita dos novos SDRs se torna bastante previsível, fazendo com que os resultados do time como um todo sejam altamente sustentáveis.

Você deve arranjar tempo para trabalhar nessas questões importantes, embora não urgentes, da mesma forma que deve procurar se alimentar bem e ficar longe de comidas pouco saudáveis. Isso requer disciplina e comprometimento. Se você acreditar que é tão ocupado a ponto de não ter tempo para fazer mais nada, correrá sérios riscos na construção de uma base para o seu sucesso futuro. ∎

O CASO DE IMPLEMENTAÇÃO DA *COLD CALLING 2.0* NA SALESFORCE.COM

Em 2002, a Salesforce.com começou a formar um time de vendas externas para atender grandes empresas. Para complementar os *leads* que recebiam pelo processo de *inbound*, quase sempre pela indicação boca a boca, os vendedores externos também deveriam fazer a prospecção para conseguir fechar grandes contratos. Todavia, muito pouco estava acontecendo em relação à prospecção.

A Salesforce.com percebeu que os vendedores externos não faziam muitas ligações porque eram avessos a *cold calls*, o que era perfeitamente compreensível. E os que estavam fazendo suas próprias prospecções eram simplesmente ineficientes.

O cenário havia mudado, e as técnicas de prospecção tradicionais da década de 1990 não funcionavam mais. Não só as *cold calls* eram ineficientes, mas também os programas de marketing que ofereciam itens caros, como livros de negócios, produziam resultados pífios.

Colocar os seus vendedores externos para fazer *cold calls* significa usar o seu recurso de vendas mais caro para fazer a atividade de menor valor.

A Salesforce.com chegou então à conclusão de que precisava criar uma abordagem nova, capaz de gerar um fluxo controlável e previsível de novas oportunidades de negócios.

Começamos o projeto *cold calling 2.0* no início de 2003. Antes de fazermos grandes investimentos em um time para o projeto, passamos cerca de um ano testando e aperfeiçoando a metodologia e o sistema para comprovar sua capacidade de gerar receita incremental e um alto retorno sobre o investimento (ROI).

◢ POR QUE REFINAMOS E TESTAMOS O NOVO PROCESSO POR UM ANO?

Embora tenha levado só 4 meses para que eu conseguisse o meu primeiro mês de sucesso na geração de novas oportunidades qualificadas de negócios, a gestão da empresa tinha duas questões relevantes para responder, antes de investir de forma mais contundente no projeto.

Será que as oportunidades de negócio geradas se transformarão em receita? Em outras palavras: as propostas serão fechadas?

Será que pessoas de nível júnior conseguem realizar esse trabalho, ou seja, esse processo é escalável?

Decidimos promover uma pessoa de nível júnior para ser um segundo membro do meu time. Então eu o treinei e, em pouco tempo, ele já conseguia os mesmos resultados que eu. E, novamente, ao longo do segundo semestre de 2003, uma quantidade significativa de novos negócios foi concretizada.

Encerramos o ano com mais de US$ 1 milhão em novas vendas e, pelo menos, US$ 3 milhões em valor vitalício. O custo para gerar esses resultados foi da ordem de US$ 150 mil, cerca de uma vez e meia a remuneração total de um funcionário.

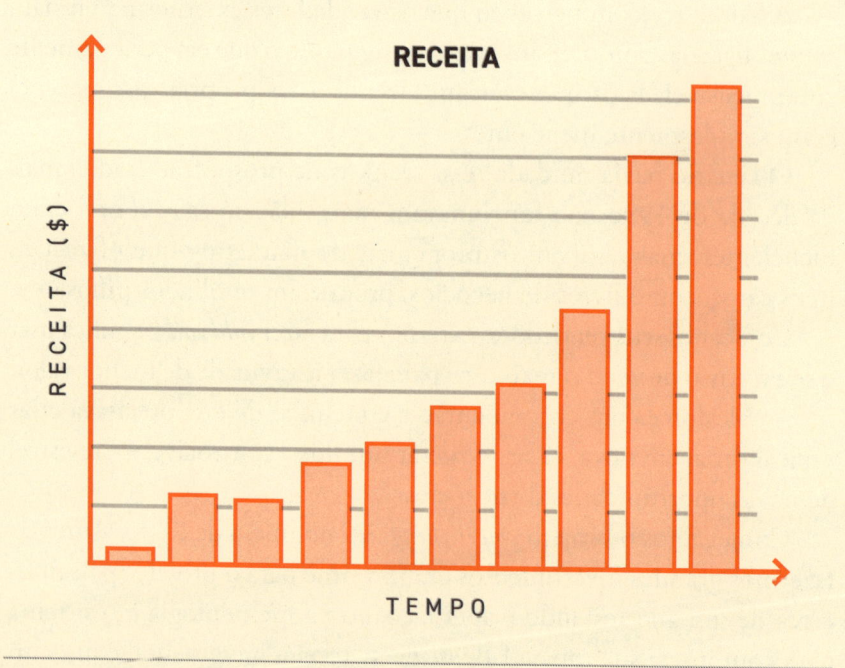

Figura 3.3 - Perfil de evolução da receita

Não é à toa que, no início de 2004, a Salesforce.com decidiu aumentar o time de *cold calling 2.0* de duas para doze pessoas!

Uma das vantagens que tivemos foi poder usar o próprio sistema da Salesforce.com. Nunca teríamos obtido o mesmo patamar de resultados sem o seu uso. Sistemas tradicionais de vendas como ACT, Goldmine ou Siebel teriam sido um atraso. Esses sistemas eram, comparativamente, mais lentos, pouco intuitivos e cheios de lacunas em vários aspectos, como: base de dados comum, relatórios e *dashboards* (painéis gráficos). Eles até poderiam funcionar para times pequenos, com uma ou duas pessoas, mas não teriam suportado o crescimento de nossa equipe para seis, doze, vinte...

Apesar de sérios obstáculos, os quais explicarei melhor adiante, os resultados vieram rapidamente.

▲ GRANDES DESAFIOS DA *COLD CALLING 2.0* NA SALESFORCE.COM

Você pode supor que o processo de prospecção era fácil porque, a essa altura, a Salesforce.com já era uma marca bastante conhecida e, por isso, as empresas aceitariam nossas ligações. Errado! Embora hoje a Salesforce.com seja uma empresa reconhecida internacionalmente e o modelo SaaS de licenciamento de *software* seja amplamente aceito, no início dos anos 2000 as coisas eram bem diferentes.

No início dos anos 2000, a Salesforce.com era totalmente desconhecida e a maioria das empresas não entendia o que nós fazíamos. Quando contatávamos alguém que já tinha ouvido falar da Salesforce.com, normalmente pensavam que éramos uma empresa que oferecia terceirização de times de vendas.

A Salesforce.com foi uma das pioneiras na adoção do modelo de *Software as a Service*, conhecido popularmente como SaaS. Esse conceito de oferta de produtos on-line e sob demanda ainda não havia sido aceito pelas principais empresas.

Além disso, as técnicas de prospecção tradicionais simplesmente não funcionavam. Esse foi um dos motivos pelos quais decidi jogar fora os livros e as ideias que tinha sobre o tema e começar do zero. Por não ter qualquer experiência em vendas antes de entrar na Salesforce.com, eu tinha uma perspectiva completamente arejada.

Todos esses desafios estavam no nosso caminho, mas não desistimos. Os gestores me deram o tempo necessário – 4 meses – para fazer as devidas experiências, até que eu pudesse criar um processo que funcionasse.

Você costuma dar desculpas, mesmo que pareçam motivos lógicos e razoáveis, para não encontrar soluções para os desafios que enfrenta na sua empresa? ■

> **Você costuma dar desculpas**, mesmo que pareçam motivos lógicos e razoáveis, para não **encontrar soluções** para os **desafios** que enfrenta na **sua empresa**?

COLD CALLING 1.0 X COLD CALLING 2.0

Aqui estão alguns exemplos dos diferentes propósitos e práticas da *cold calling 1.0* em comparação com a *cold calling 2.0*. A seguir, também, indico muitas das tendências que impactaram em todos os tipos de venda.

COLD CALLING 1.0	COLD CALLING 2.0
Todos em vendas fazem prospecção "Sempre feche a venda."	**Time de prospecção especializado** "É bom para ambas as partes?"
Mensurar as atividades (ex.: ligações diárias) *Cold calling*	**Mensurar os resultados** (ex.: *leads* qualificados) Pesquisa, ligações por indicação
Técnicas de vendas manipulativas "Eu odeio este trabalho!"	**Técnicas de vendas autênticas e íntegras** "Estou desenvolvendo uma habilidade valiosa."
Cartas e e-mails longos O sistema de vendas derruba a produtividade	**E-mails curtos e calorosos** O sistema de vendas alavanca a produtivida

Quadro 3.1 - O que mudou da *cold calling 1.0* para a *cold calling 2.0*

Aqui estão mais algumas ideias sobre o que mudou:

▲ DESENVOLVA ESPECIALISTAS RESPEITADOS

Muitas vezes, o papel do pessoal de desenvolvimento de vendas é tratado como um trabalho de menor importância dentro de vendas. Se você o encarar dessa forma, obterá resultados medíocres. É uma função desafiadora e, em algumas vezes, ingrata. Trate o time como especialistas e eles se tornarão *experts*. Não apresse o treinamento, dê a eles as ferramentas e os desenvolva. Estabeleça expectativas elevadas em relação ao desenvolvimento de suas habilidades.

▲ QUALIFIQUE AS CONTAS (EMPRESAS) E CONTATOS ANTES DE LIGAR

Cold calling 1.0 envolve ligar ou enviar e-mails para empresas a partir de listas sem filtros adequados. Prospectar contas de baixo potencial é o tipo de desperdício de tempo mais comum cometido pelo pessoal de desenvolvimento de vendas nas empresas.

Gaste o tempo que for necessário para identificar e deixar claro o tipo de perfil ideal de cliente para o seu processo. Identifique quais empresas se parecem mais com os seus melhores clientes (5% a 10% dos seus melhores clientes), defina quais têm o maior potencial de geração de receita, e desenvolva uma lista mais restrita baseada nesses critérios.

> ❝ Gaste o tempo que for necessário para identificar e deixar claro o tipo de **perfil ideal de cliente** para o seu processo.

▲ PESQUISE EM VEZ DE VENDER

Quando os SDRs ligam para os contatos das empresas, deveriam fazer "ligações de pesquisa", em vez de *cold calls*. O objetivo é diferente. Em vez de tentar falar com o tomador de decisão, a intenção é fazer com que o representante aprenda sobre a empresa e se realmente existe, ou não, uma oportunidade de negócio.

▲ FAÇA E-MAILS OTIMIZADOS PARA *MOBILE*

Evite mandar e-mails de vendas longos demais e que ninguém lê. Redija e-mails curtos e que possam ser lidos facilmente em um celular ou tablet. Seja honesto e vá direto ao ponto, ou seja, o que você está querendo?

◢ UTILIZE MAIS QUE O BÁSICO DE SEU SISTEMA DE AUTOMAÇÃO DA FORÇA DE VENDAS

Aproveite ao máximo o seu sistema de automação da força de vendas, o SFA. Você precisa usar, por exemplo, os *dashboards* – aqueles painéis de controle com gráficos e indicadores. Procure saber também sobre recursos de duplicação e higienização da base de dados, aquisição de contatos ou ferramentas que sinalizem quando um contato com o qual você está se relacionando visitar o seu site. Há uma enormidade de funcionalidades para você aprimorar o seu processo de venda. Todas essas opções podem até causar uma certa confusão. Não permita que isso faça você deixar de testar constantemente novos recursos que possam funcionar bem na sua empresa. ■

POR QUE OS EXECUTIVOS DE CONTAS NÃO DEVEM FAZER *COLD CALLS*?

Não importa se os seus Executivos de Contas (também conhecidos como *Closers*, ou *Hunters*) trabalham interna ou externamente. Há três problemas em esperar que façam todo o trabalho de desenvolvimento de novas contas:

1. Eles não gostam de fazer *cold calls*.
2. Em geral, eles não são muito bons nisso e, às vezes, péssimos.
3. É um grande desperdício para a empresa alocar o recurso mais caro de vendas para fazer o trabalho de menor custo.

▲ ONDE E QUANDO OS EXECUTIVOS DE CONTAS DEVEM PROSPECTAR?

A seguir, estão as regras de ouro sobre onde os Executivos de Contas devem gastar seu precioso tempo prospectando:

- Em uma lista bem curta, focada nas "Top 5–25" contas vitais ou canais parceiros.
- Na base de clientes deles.

O ponto-chave é concentrar os seus melhores profissionais nas atividades de baixo volume, mas de alto valor (por exemplo, construindo relacionamento com grandes contas), e preparar os SDRs e outras funções especializadas de vendas para desenvolver atividades de grande volume, mas baixo valor (por exemplo, prospectar novas contas em listas ainda sem qualificação).

> ❝ O **ponto-chave** é concentrar os seus melhores profissionais nas **atividades** de **baixo volume**, mas de **alto valor.**

SERÁ QUE A *COLD CALLING 2.0* PODE FUNCIONAR NA MINHA EMPRESA?

Seu time está envolvido no processo de encontrar novos clientes?

Seus clientes valem, para você, mais que US$ 5 mil? (A *cold calling 2.0* pode até funcionar para contas menores que esse valor, mas será difícil torná-las rentáveis).

Se a resposta para essas duas questões for "sim", então a *cold calling 2.0* pode funcionar para você também, seja para venda de produtos ou de serviços.

Nós conseguimos resultados com a implementação da *cold calling 2.0* em outras empresas além da Salesforce.com. A Responsys foi a primeira empresa em que eu e Erythean Martin, meu parceiro à época, implementamos o sistema.

Em 4 meses, eles aumentaram em 300% a taxa de geração de novos negócios, por SDR. A partir daquele momento, a *cold calling 2.0* se tornou a principal e mais previsível fonte de geração de novos negócios da empresa.

O processo de *cold calling 2.0* também funciona para empresas de consultoria ou serviços, embora a sua implementação seja um pouco mais difícil. Empresas de serviços profissionais tendem a basear seus negócios mais em marca e relacionamentos do que em benefícios específicos do produto ou serviço. Para valer a pena, as empresas de serviço precisam investir um tempo extra lapidando seus perfis de cliente ideais. Obviamente, isso é necessário em qualquer projeto de geração de *leads* e não só para a *cold calling 2.0*.

Por último, se houver comprometimento do CEO e dos gestores em fazer a coisa acontecer, se conseguirem abrir mão de suas velhas concepções acerca da *cold calling 1.0* e seguir esse novo processo, não há dúvida de que funcionará. ∎

ESTUDO DE CASO: ACQUIA

Como a metodologia de Receita Previsível ajudou a Acquia a alcançar uma receita de US$ 100 milhões

O que é necessário para se tornar a empresa privada de software de mais rápido crescimento da América do Norte? Bem, ajuda se você gerar a quantidade de leads qualificados de que precisa. Com a geração previsível e escalável de leads, é possível criar uma receita e um crescimento previsíveis.

■ **A empresa**

A Acquia é uma empresa de *software* com sede em New England que oferece produtos, serviços e suporte técnico para empresas que usam Drupal, uma plataforma *open source* de colaboração e publicação na web. Com o crescimento explosivo da Web 2.0 e a adoção da plataforma Drupal por milhões de sites em todo o mundo – inclusive pelos maiores –, a Acquia obteve um crescimento contínuo. No período de cinco anos desde a sua fundação, em 2007, a Acquia alcançou a oitava posição no ranking da Inc. 500 Companies, publicado pela Inc. Magazine (conhecida revista de negócios).

■ **O momento de inspiração de Bertrand**

Todo esse crescimento aconteceu em 2012, quando os dirigentes de vendas da empresa estabeleceram metas ainda mais agressivas para o IPO – acrônimo de Oferta Pública Inicial, quando uma empresa lança ações na bolsa de valores –, com uma projeção para aumentar em US$ 100 milhões a receita. Eles sabiam que, para alcançar aqueles resultados, não poderiam depender exclusivamente da geração de *leads* vindos do *inbound*, ou esperar por indicações de empresas parceiras. Foi exatamente na primavera de 2012 que Tim Bertrand, Vice-presidente Mundial de Vendas da Acquia, descobriu o conceito de Receita Previsível em um artigo escrito por David Skok, intitulado: "Por que os vendedores não devem prospectar – uma entrevista com Aaron Ross".

Esse artigo descrevia exatamente como um time dedicado de prospecção de vendas *outbound* poderia gerar novos *leads* qualificados, mês a mês, proporcionando à empresa um meio para controlar e estabelecer um novo patamar de crescimento das vendas – como a Salesforce.com havia feito em 2003, quando ainda faturava menos de US$ 100 milhões e tinha cerca de 300 funcionários. Após a leitura do livro, Bertrand imediatamente pensou: "Será que esse autor nos ajudaria a montar e treinar um time de vendas para a nossa empresa?".

Bertrand e seus gestores de vendas, incluindo o Vice-presidente de Vendas Mike Stankus e o diretor Jeff Smith, mergulharam de cabeça no projeto. Em apenas 37 dias, estabeleceram um acordo a respeito da estratégia de vendas *outbound*, contrataram os três primeiros funcionários para realizar a prospecção e Aaron Ross para ajudar a montar e treinar o time.

▪ Os resultados dos primeiros 120 dias

Os primeiros 30 dias dos novos funcionários foram gastos, basicamente, para se organizarem:

- Aprendendo sobre o produto e o mercado da Acquia, estudando os materiais on-line sobre *cold calling 2.0* e acompanhando o trabalho do pessoal de vendas que já trabalhava na empresa.

- Aprendendo a usar o sistema da Salesforce.com, providenciando o *setup* de contas de e-mail e outras questões de TI.

- Completando as primeiras metas da metodologia Receita Previsível, como enviar os 200 primeiros *e-mails* de prospecção, concluir as 20 primeiras ligações, elaborar uma descrição do perfil do cliente ideal para abordar – que é diferente do perfil ideal do cliente da empresa em geral, e construir uma lista inicial de contas para trabalhar.

Mesmo tendo começado do zero, os três novos contratados conseguiram gerar o primeiro milhão em novas oportunidades de negócio com *leads* de vendas qualificados. Só para esclarecer, um *lead* de vendas qualificado só é assim considerado quando o Executivo de Contas que dará seguimento ao atendimento o aceita como tal e o insere em seu funil de vendas.

■ Os resultados após um ano

- Foram gerados US$ 6 milhões em novos negócios, em *leads* qualificados.

- US$ 3 milhões em receitas geradas nos primeiros 18 meses de criação dos novos negócios, que se multiplicariam rapidamente depois que a engrenagem começasse a girar.

- Aumento do time de prospecção de 3 para 25 SDRs nos Estados Unidos e no Reino Unido.

- Já estão gerando cerca de US$ 2 milhões em novos negócios por SDR, ou seja, cerca de US$ 12 a US$ 15 milhões em novos negócios qualificados por trimestre.

- A prospecção *outbound* saiu de 0% para 40% dos novos negócios gerados.

> ❝ A prospecção *outbound* saiu de 0% para **40%** dos **novos negócios** gerados.

■ "Quando" virão os US$ 100 milhões, e não "se" virão

Apenas um ano depois de montar o time de prospecção, a geração de novos negócios da Acquia havia crescido 75%. Era muito claro que o time de vendas *outbound* adicionaria um volume substancial de receita incremental nos anos seguintes, contribuindo para que a meta de US$ 100 milhões fosse atingida ainda mais rapidamente.

■ O que era esperado de um SDR em termos de prospecção?

Na Acquia, os SDRs responsáveis pelo processo de prospecção deveriam cumprir as seguintes metas:

- Enviar de 300 a 500 e-mails *outbound* por mês.
- Ter 100 "conversas rápidas" por mês com todo tipo de pessoa.
- Ter 20 "conversas longas de descoberta", as chamadas *discovery calls*, com influenciadores e/ou tomadores de decisão.
- Gerar 15 *Leads* Qualificados de Vendas (LQVs) passados e aceitos pelos Executivos de Contas.
- Eles esperavam que esse nível de atividades no funil geraria os seguintes resultados:
- Um valor médio de contrato de US$ 50 mil em Receita Anual Recorrente (RAR).
- US$ 750 mil em geração de novos negócios vindos dos 15 *leads* qualificados. (Essa meta é superior à expectativa média de 8 a 12 *leads* qualificados por mês, por SDR, porque eles estavam atacando as grandes contas.)
- De US$ 55 mil a US$ 65 mil mensais em RAR por SDR, ou seja, algo em torno US$ 720 mil ao ano por cada funcionário dedicado à prospecção.

Fazendo as contas, com um time de 20 pessoas prospectando, após um ano teríamos US$ 600 mil em RAR por SDR. A Acquia esperava adicionar cerca de US$ 60 milhões em novos negócios ao funil de vendas, e de US$ 12 a US$ 15 milhões em RAR, no mínimo. Uma estimativa de dez vezes a receita, que também representaria um acréscimo de US$ 120 a US$ 150 milhões ao patrimônio dos investidores, em apenas dois anos e meio.

Em meados de 2014, a Acquia planejava dobrar novamente o time de prospecção, passando de 20 para 40 SDRs ao longo dos 18 meses seguintes, o que os levaria a gerar mais US$ 30 milhões ao ano em RAR.

■ Um plano de carreira ganha-ganha

Criando um time de prospecção, a Acquia tinha agora um plano de carreira melhor para satisfazer os Executivos de Contas. Eles podiam contratar talentos a valores razoáveis, avaliar o seu desempenho, e então promovê-los quando fosse apropriado. Isso praticamente eliminou os erros de contratação de novos Executivos de Contas.

■ Seis coisas que fizeram o processo de vendas *outbound* da Acquia decolar

1 *Toda a Diretoria estava comprometida*, ou seja, tínhamos o apoio de cima. Se o CEO da empresa não comprar a ideia de que o processo de vendas precisa ser desmembrado em papéis específicos, com algumas pessoas cuidando exclusivamente da prospecção e outras do fechamento das vendas, a coisa não acontece!

2 *Eles tomaram a decisão rapidamente*, evitando a paralisia das análises intermináveis. Foram apenas 37 dias entre a leitura do artigo sobre como obter uma receita previsível pelo Bertrand, Vice-presidente Mundial de Vendas, e o fechamento do contrato para implementação do processo na Acquia e a autorização para começar as primeiras contratações.

3 *O time de vendas e prospecção estava ávido por novas ideias*, incluindo esse tipo de abordagem, especialmente porque a mudança para um novo modelo, no qual a distribuição dos *leads* vindos do *inbound* não seria mais igual para todos, fez com que eles percebessem a necessidade de se ter uma fonte permanente de geração de *leads* pré-qualificados.

4 *Inicialmente, a Acquia contratou três excelentes SDRs*, sendo dois para os Estados Unidos e um para o Reino Unido, que se dedicavam exclusivamente ao trabalho de prospecção. Eles não faziam vendas ou fechavam propostas. Não cuidavam de *leads* vindos do *inbound*. Não convidavam clientes potenciais para eventos de marketing. Só prospectavam o tempo todo, usando as diretrizes da metodologia de Receita Previsível. E três pessoas sensacionais fizeram tudo isso funcionar de maneira muito mais suave e rápida.

5 *Eles contrataram SDRs que já tinham feito aquilo antes*, em vez de tentarem reinventar a roda. Os SDRs sabiam exatamente o que fazer e quando fazer em cada uma das etapas do processo, sem desperdício de tempo ou dinheiro.

6 *Eles focaram os grandes negócios e oportunidades.* A Acquia tinha um valor médio de contrato bastante elevado, e como esta fórmula funcionava para a prospecção, quanto maior o valor dos negócios prospectados, maior seria a receita gerada. Via de regra, na metodologia Receita Previsível, recomendamos às empresas tomarem como referência a média de 10% a 20% de seus melhores clientes ou contratos para definirem o tipo de empresa e negócio a serem prospectados por meio do *outbound*. ■

PARTE 2

Implementando a metodologia de Receita Previsível

CAPÍTULO 4

IMPLEMENTANDO O PROCESSO DE *COLD CALLING 2.0*

Ok, mas como é que se implementa um processo desses? Este livro não tem a pretensão de ser um guia definitivo, passo a passo – o que extrapolaria o seu propósito –, mas te dará informações suficientes para que você desenvolva seu próprio processo de cold calling 2.0 na sua empresa ou negócio.

INICIANDO A IMPLEMENTAÇÃO DA *COLD CALLING 2.0*

Para começar a implementar o processo de *cold calling 2.0*, você deve saber que:

- *Deve haver pelo menos uma pessoa 100% dedicada à prospecção, ou a intenção de contratá-la.* Você pode até começar com alguém trabalhando parte do tempo nessa função, mas os resultados significativos só virão quando houver alguém totalmente comprometido com essa tarefa.

- *É necessário algum tipo de sistema que permita à sua força de vendas compartilhar informações e gerenciar as contas e contatos.* O Salesforce.com ainda é, na minha humilde e tendenciosa opinião, a melhor opção. Contudo, o mais importante é que você tenha algo que vá além de planilhas, quadros brancos e e-mails. As contas e os contatos que você irá prospectar precisam usar e-mail.

> **É necessário** algum tipo de sistema que permita à sua força de vendas **compartilhar** informações e **gerenciar** as contas e **contatos**.

- *É necessário ter um produto ou serviço que já tenha sido testado e gerado receita.*

- *O valor do cliente ao longo do ciclo de vida deve ser de pelo menos US$ 10 mil.* É claro que, quanto maior esse número, melhor. O processo também funciona para contas com valor menor que US$ 10 mil, especialmente se você é o dono do próprio negócio fazendo isso para si mesmo. Entretanto, é muito difícil tornar o processo rentável quando se trabalha com vendedores contratados.

◢ TENTE FAZER FUNCIONAR PARA VOCÊ

Cada negócio é único. Além disso, o que funciona para um vendedor pode não funcionar para outro. A ideia aqui é disponibilizar uma série de ferramentas, e algumas orientações sobre como usá-las, para que você possa adaptá-las à realidade específica da sua empresa.

E lembre-se: use essas ferramentas com uma atitude de experimentação. Brinque com elas e descubra o que funciona melhor para você. ■

O PRIMEIRO E MAIS IMPORTANTE PASSO

Se você quiser dar um passo importante no sentido de transformar sua área comercial em uma verdadeira máquina de vendas, comece deixando os Executivos de Contas focarem aquilo que fazem melhor: trabalhar os ciclos de venda ativos e fechar negócios.

Implemente uma nova função na sua área de vendas: a de Representante de Desenvolvimento de Vendas, ou SDR (*Sales Development Rep*), e deixe o seu time de SDRs cuidar da geração de novas oportunidades de negócio qualificadas para suprir os Executivos de Contas com *leads* qualificados.

Como um primeiro passo, coloque um funcionário – ou até um time inteiro – dedicado **exclusivamente** às atividades de prospecção *outbound*. Mantenha essa função separada da prospecção *inbound* e do fechamento de negócios, cuja responsabilidade é dos Executivos de Contas.

> **Implemente** uma nova função na sua **área de vendas:** a de Representante de Desenvolvimento de Vendas, ou **SDR** (*Sales Development Rep*).

Essa questão é tão importante que eu a repito várias e várias vezes ao longo do livro: especialize, especialize, especialize!

A ideia é implementar uma função de **desenvolvimento de vendas** para prospectar novos clientes e assegurar um fluxo previsível e sustentável de *leads* qualificados para abastecer os Executivos de Contas ou televendas. E, também, criar a função de *Market Response Rep* (MRR) para qualificar os *leads* provenientes do site, de ligações telefônicas passivas e outros canais de comunicação *inbound*.

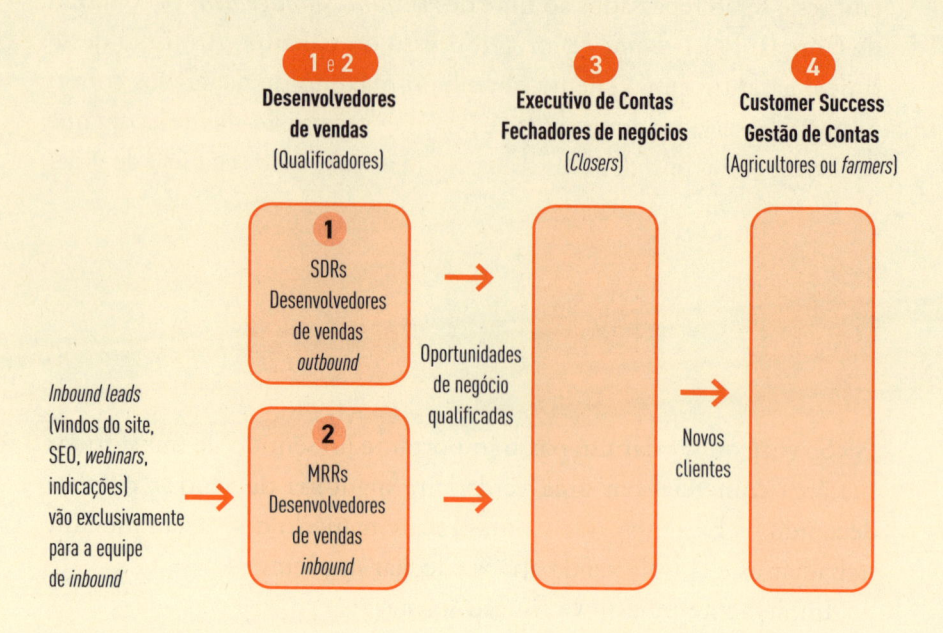

```
         1 e 2                    3                    4
    Desenvolvedores        Executivo de Contas    Customer Success
      de vendas           Fechadores de negócios  Gestão de Contas
    (Qualificadores)            (Closers)         (Agricultores ou farmers)
```

Figura 4.1 - As quatro principais funções especializadas de vendas

O esquema anterior apresenta as quatro principais funções especializadas de vendas que fazem parte do modelo de geração de receita previsível.

O processo começa com a prospecção e qualificação de *leads* por dois times distintos de desenvolvedores de vendas. O primeiro time é formado pelos *Outbound Reps* (1) – também chamados por SDRs (*Sales Development Reps*) –, que farão a busca ativa de contas e contatos que nunca fizeram qualquer negócio com a empresa ou estão inativos há muito tempo. O segundo time, o dos *Inbound Reps* (2) – ou *Market Response Reps* –, cuidará da qualificação dos *leads* vindos das atividades de *inbound* marketing, ou seja, *leads* capturados por meio do site, *webinars*, redes sociais, atendimento telefônico receptivo, boca a boca, SEO, entre outros meios. O trabalho desses dois times é, exclusivamente, qualificar *leads* para serem passados adiante aos Executivos de Contas (3), denominados *Closers* (fechadores de negócios), que cuidarão da venda em si e do fechamento de propostas, pedidos e contratos. Na sequência, assim que esses novos clientes ingressarem na carteira da empresa, serão repassados ao time de *Account Management* (4) (Gestão de Contas), ou *Customer Success* (Sucesso do Cliente). A missão desse time é garantir que o cliente obtenha o máximo de benefícios com o produto ou serviço adquirido – daí o nome "sucesso do cliente", para que se extraia o máximo de valor dessa conta ao longo do seu ciclo de vida.

No passado, os *Outbound Reps* estariam fazendo *cold calls* diretamente aos *leads*. Hoje em dia, há meios muito mais eficientes de se fazer a prospecção. Uma das formas de se obter essa eficiência é organizar os SDRs por territórios e ligá-los aos vendedores externos e/ou internos que atuam na mesma região. Isso é fundamental para que desenvolvam uma relação de afinidade com seus colegas que receberão seus *leads* qualificados mais adiante.

Um SDR normalmente consegue suprir de dois a cinco Executivos de Contas. Entretanto, se você trabalha com contratos de valor muito elevado, é possível que essa relação chegue a um ou até dois SDRs para um único Executivo de Contas. Mesmo nesses casos, a rentabilidade ainda é elevada e justifica essa estrutura.

Quando defendo a implementação do papel de desenvolvimento de vendas *outbound* para melhorar os resultados da prospecção, não quero dizer que os Executivos de Contas não possam gerar novos negócios, longe disso! A ideia é não desperdiçar o tempo deles fazendo *cold calls*. Eles deveriam se concentrar apenas em negócios com alto potencial. Algo como uma pequena lista com contas estratégicas a serem conquistadas, com as quais possam construir um relacionamento, mais alguns clientes atuais e algumas oportunidades perdidas no passado.

Já no caso das vendas *inbound*, a proporção é de um *Market Response Rep* para cada 400 *leads* mensais que demandem um atendimento humano. Ao manter *leads* pouco qualificados fora do processo de vendas, os MRRs determinam quais as contas merecem ser atendidas e, com isso, contribuem para o aumento das taxas de conversão dos times de vendas externo e interno, que só gastarão seu tempo com as oportunidades pré-qualificadas. ∎

POR QUE SEPARAR OS TIMES DE VENDAS *OUTBOUND* E *INBOUND*?

Em empresas nas quais o volume de *leads* vindos do *inbound* é muito elevado, justifica-se ter um time separado para cada função: *inbound* e *outbound*. Essa medida mantém ambos mais focados e produtivos.

Enquanto os MRRs recebem *leads* para serem qualificados, o pessoal do *outbound* é que vai atrás dos *leads* por meio do envio de e-mails ou ligações, ou seja, as funções de um e de outro são muito distintas. É muito difícil para um mesmo funcionário alternar entre um papel e outro durante sua rotina de trabalho.

Dessa forma, os MRRs se tornam especialistas em qualificar de forma eficiente os *leads* oriundos do *inbound* ou dos programas de marketing; enquanto os SDRs cuidam das prospecções de contas nunca antes atendidas, capazes de gerar novos negócios.

▲ COMO APRENDEMOS ISSO DO JEITO MAIS DIFÍCIL NA SALESFORCE.COM?

Em 2004, aprendemos essa lição do jeito mais difícil na Salesforce.com. Àquela época, deixamos de ter times separados para as funções *inbound* e *outbound*, e passamos a ter um mesmo time com ambas as responsabilidades.

Em uma semana, a produtividade havia caído cerca de 30%. Depois de três semanas de experiência, estava claro que essa queda se devia à mistura das duas responsabilidades em uma mesma função e que isso não mudaria dali para frente. Então, rapidamente a Salesforce.com retornou à estrutura original – com os times de MRRs e SDRs separados –, e a produtividade voltou ao patamar anterior.

Essa especialização das funções de vendas foi crucial para ajudar a Salesforce.com a conquistar os resultados incríveis que obteve. Em poucos anos, o time de *cold calling 2.0* havia gerado US$ 100 milhões em receita anual recorrente para a empresa, totalizando cerca de US$ 1 bilhão. Ano após ano, o retorno sobre o investimento em cada pessoa do time alcançou 3.000%. ∎

> **"** Essa **especialização das funções** de vendas foi crucial para ajudar a Salesforce.com a **conquistar** os **resultados incríveis** que obteve.

ESCOLHENDO UM SISTEMA DE AUTOMAÇÃO DA FORÇA DE VENDAS

Talvez você nunca tenha ouvido falar da Salesforce.com. Tendo trabalhado lá por quatro anos e, como consultor de vendas, atendido dezenas de empresas, eu me deparei com todo tipo de sistema de vendas que você possa imaginar.

Embora o sistema da Salesforce.com esteja longe da perfeição e não seja o mais adequado para todo tipo de empresa, especialmente para as menores, ele ainda é o mais popular do mercado. Há muitas razões para que ele seja o sistema de automação da força de vendas mais usado no mundo, mas a principal é que milhões de pessoas já estão familiarizadas com ele: vendedores, gestores de vendas, o pessoal da área de TI. O poder dessa comunidade de usuários e aplicativos para o sistema deles é enorme.

Dito isso, seja qual for o sistema que você escolher ou usar, o mais importante é usá-lo. E, se estiver tendo problemas em utilizá-lo, lembre-se que o sistema é apenas uma ferramenta. Provavelmente, o problema está nos usuários, e não no sistema em si.

E, CEOs, lembrem-se: as pessoas seguirão o seu exemplo. Quanto mais você se mostrar presente no sistema, mais as pessoas irão usá-lo.

> Seja qual for o sistema que você escolher ou usar, o mais importante é **usá-lo**.

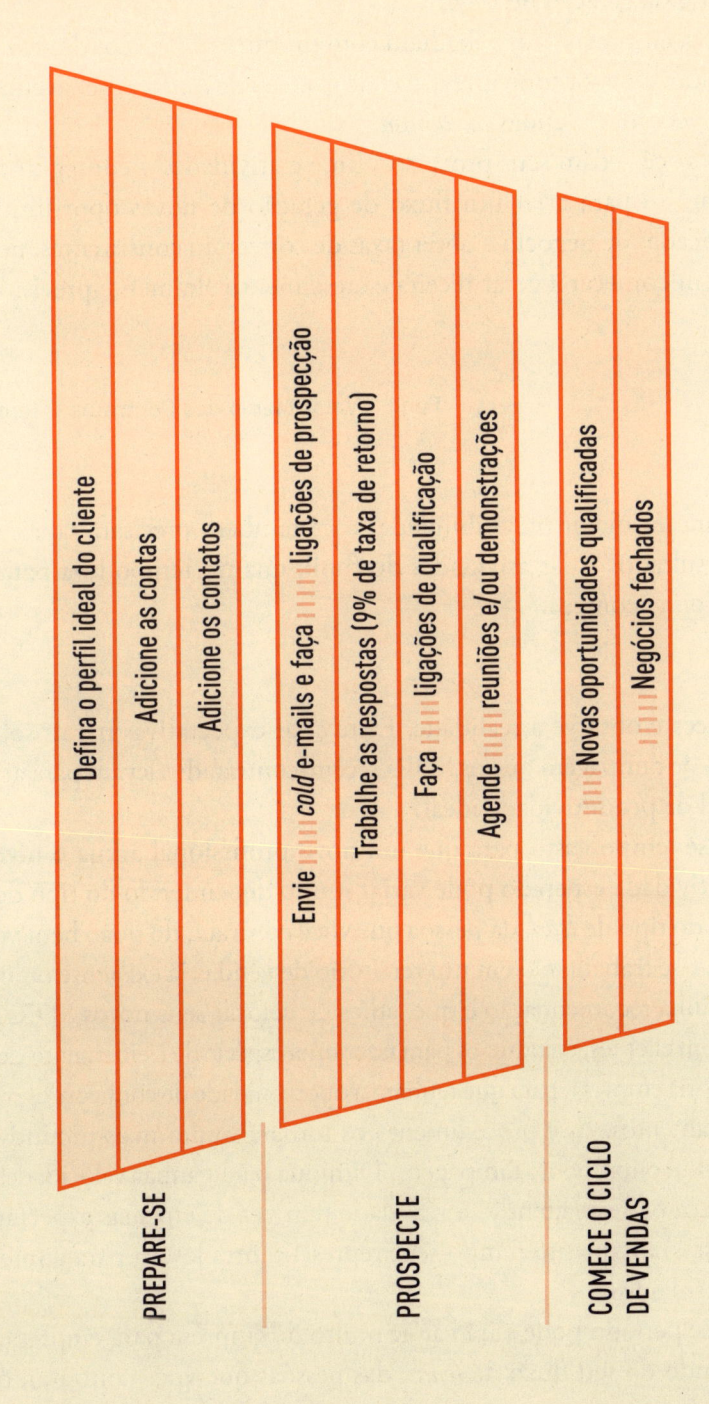

◢ A FONTE DA PREVISIBILIDADE: O FUNIL *COLD CALLING 2.0*

Figura 4.2 - O funil de vendas da *cold calling 2.0*

PREPARE-SE
- Defina o perfil ideal do cliente
- Adicione as contas
- Adicione os contatos

PROSPECTE
- Envie cold e-mails e faça ligações de prospecção
- Trabalhe as respostas (9% de taxa de retorno)
- Faça ligações de qualificação
- Agende reuniões e/ou demonstrações

COMECE O CICLO DE VENDAS
- Novas oportunidades qualificadas
- Negócios fechados

Aqui está a verdadeira fonte da previsibilidade da receita: a previsibilidade da geração de *leads*.

Para empresas que trabalham com produtos e serviços de alto valor agregado, a maior fonte previsível de geração de *leads* é, provavelmente, a prospecção de vendas *outbound*.

Se você – com seus processos, time e atividades – conseguir achar o caminho para criar um fluxo de geração de novas oportunidades qualificadas de negócio e obter taxas de conversão consistentes, poderá também começar a gerar receita e crescimento altamente previsíveis.

> **Previsibilidade da Receita = Funil + Valor Médio dos Contratos + Tempo**

Para ter maior previsibilidade, você também precisará saber, além dos resultados e das atividades do funil, quanto tempo leva para que cada coisa aconteça.

▲ TEMPO: RAMPANDO OS NOVOS SDRS

Meça e observe a realidade. Evite criar expectativas irreais sobre o tempo de rampagem que os SDRs recém-contratados levam para atingir o nível de produtividade ideal.

Esse tempo gasto para que um novo profissional atinja o nível de produtividade esperado pode variar muito dependendo do tipo de negócio, do tipo de *lead*, da pessoa que você contrata, do quão bem você a treina, e se trabalharão em um território de vendas já existente ou novo.

Minha recomendação é que, antes de colocar seus novos SDRs para falar com clientes, coloque-os para fazer uma espécie de treinamento dentro da própria empresa, para que tenham a oportunidade de conhecer os outros departamentos. Esse procedimento os tornará muito mais produtivos e diminuirá o tempo de rampagem. Diminua para ganhar velocidade!

Meça e preste atenção à realidade (em vez de em suas expectativas irrealistas) de quanto tempo seus representantes levam para aumentar seus resultados.

Esse período pode e irá variar muito de empresa para empresa, dependendo do seu fluxo de *leads*, das pessoas que você contratar, quão bem você os treina e se eles estão pegando um território estabelecido ou iniciando uma marca nova.

▲ TEMPO: DURAÇÃO DA PROSPECÇÃO E DO CICLO DE VENDAS

Quanto tempo um SDR leva para gerar uma nova oportunidade de negócio qualificada? Quanto tempo leva para que essa oportunidade seja fechada, que se torne um contrato efetivo? As contas menores levam menos tempo que as maiores? Quais seriam as regras gerais – imperfeitas, mas úteis – para você estabelecer esses parâmetros na sua empresa?

Duração do ciclo de prospecção: meça o tempo gasto entre: (a) o momento em que um contato responde pela primeira vez a uma campanha e (b) quando uma oportunidade de negócio é criada ou qualificada, o que significa ter sido aceita pelo Executivo de Contas que dará sequência ao atendimento. Na minha experiência, esse período leva de duas a quatro semanas, em média.

Se estiver tendo problemas em medir esses dois ciclos, sente-se com os seus SDRs e tenha uma conversa de 15 minutos para falar sobre 10 negócios concretizados para se ter uma noção desses prazos.

EXEMPLO

Para sermos pragmáticos, vejamos um exemplo com números reais:

- Um SDR novato leva cerca de 2 meses para rampar (atingir) até o nível de produtividade esperado, em termos de metas de geração de novas oportunidades de negócio qualificadas, para a sua função.

- Cada SDR gera 10 novas oportunidades de negócio qualificadas por mês.

- O valor médio de cada nova oportunidade de negócio é de US$ 100 mil.

Considerando esses parâmetros, cada SDR vai gerar cerca de US$ 1 milhão em novas oportunidades qualificadas de negócio por mês. Continuando o raciocínio, vamos supor que:

- A taxa de conversão de vendas – o percentual de oportunidades que se tornam contratos efetivos – seja de 20%.

- A duração média do ciclo de vendas seja de 6 meses.

Dessa forma, cada SDR trabalhando com seu respectivo Executivo de Contas vai acrescentar US$ 200 mil em novas receitas a cada mês. Esse fluxo começará, de fato, cerca de 8 meses após o início do trabalho do SDR contratado, já que, nos 2 primeiros meses, ele ainda não terá atingido o nível de geração de novas oportunidades esperado para a sua função.

Será que 8 meses lhe parecem uma eternidade nesse mundo que exige respostas para ontem? E, se você tivesse iniciado todo esse processo 8 meses atrás, não estaria obtendo agora essa receita?

Assim que sua máquina de vendas romper a inércia e começar a girar, um fluxo previsível de novos *leads* produzirá novas receitas de forma contínua. ∎

COMO FUNCIONA O PROCESSO DE *COLD CALLING 2.0*?

A seguir, apresento uma visão geral do processo de *cold calling 2.0*, para um SDR que trabalha em horário integral gerando novas oportunidades qualificadas de negócio e passando-as aos Executivos de Contas.

Obviamente, se o SDR trabalhar apenas meio horário, as metas de atividade deverão ser ajustadas a essa nova realidade.

Perfil ideal do cliente	Construa sua lista	Faça campanhas de e-mail *outbound*	Venda o sonho	Passe o bastão
Maior receita potencial e taxa de conversão	Importe para o sistema de vendas	Consiga indicações internas	Ligue a necessidade deles à sua solução	Passe a oportunidade de negócio ao Executivo de Contas

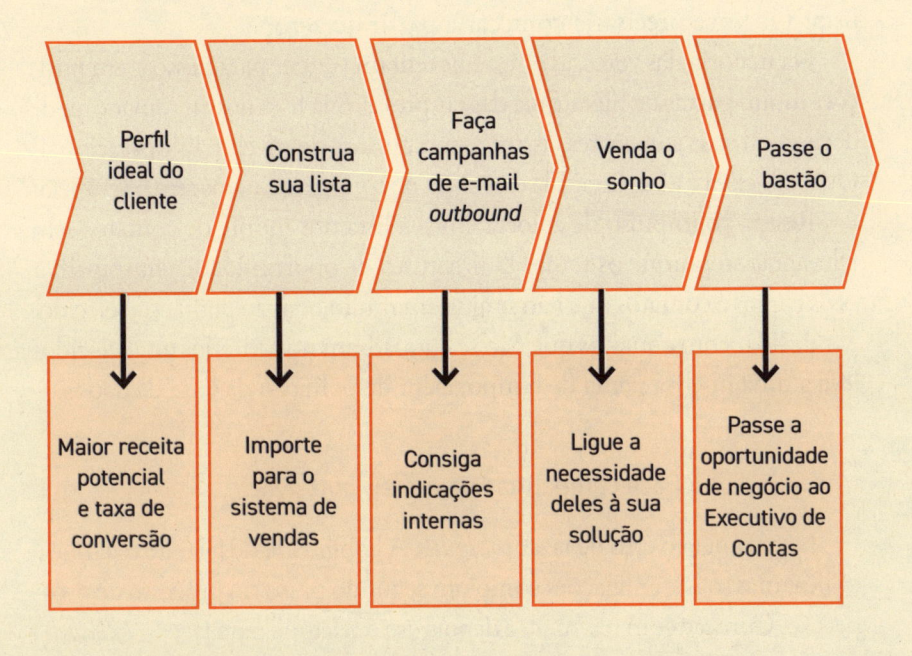

Figura 4.3 - Os 5 passos do processo de *cold calling 2.0*

▶ **1º PASSO:** Estabeleça o Perfil Ideal do Cliente (PIC) de forma bem clara

A coisa mais importante que você tem a fazer para tornar todo esse processo eficaz é investir tempo suficiente para estabelecer um perfil claro do tipo de cliente ideal para o seu negócio, tanto no que se refere às contas quanto aos contatos.

É nesse ponto que a maioria das empresas peca de forma prematura: mirando contas inadequadas, contatos nos níveis errados, escolhendo muitos tipos diferentes de empresas ou não falando a linguagem delas.

> 66 A coisa mais importante que você tem a fazer para tornar todo esse processo eficaz é **investir tempo** suficiente para estabelecer um perfil claro do tipo de cliente ideal para o seu negócio.

▶ **2º PASSO:** Construa a sua lista de contas e contatos

Como você poderia construir uma lista de contas e contatos a partir do perfil ideal de cliente definido no passo anterior? Você já tem uma lista na sua própria empresa? Existe a possibilidade de se adquirir uma lista? Ou você precisaria começar a partir do zero?

Na maioria das vezes, as empresas tentam vender para pessoas em posições muito baixas na hierarquia das empresas. Sua lista possui tomadores de decisão ou seus superiores, assim como pessoas de nível mais operacional? Quão objetiva é a sua lista? Ela está cheia de contas e contatos sem relevância?

Resista ao impulso de colocar em sua lista um monte de contatos sem relevância só porque os tem. Há um custo de oportunidade em trabalhar essas contas e contatos que não se ajustam muito bem ao perfil estabelecido. Ter de lidar com contatos que não se enquadram nos critérios estabelecidos leva a uma imensa perda de tempo, além de poluição da base de dados.

▶ **3º PASSO:** Faça campanhas de e-mail *outbound*

Não cometa o erro de fazer *cold calls*. A habilidade de falar ao telefone é crítica, mas só use as ligações como um segundo passo no processo de prospecção. Comece com o e-mail, e depois use o telefone para fazer o *follow-up* com aquelas que responderam. E-mails bem simples podem gerar uma taxa de resposta de 8% a 12% ou até mais, mesmo de contatos de alto nível.

Envie e-mails ou mensagens de voz em massa para contatos que se enquadram no perfil ideal de cliente estabelecido. Esses e-mails devem parecer uma mensagem simples enviada por um vendedor. Utilize o formato de texto em vez de layouts muito elaborados.

No lugar de enviar centenas de e-mails em massa em grandes lotes ao mesmo tempo, a ideia é manter um envio regular de 50 a 100 e-mails por dia, por SDR, poucas vezes por semana, como uma espécie de campanha permanente. A meta dessa fase é obter entre 5 e 10 novas respostas por dia. Os SDRs não conseguem lidar com muito mais respostas que isso.

4º PASSO: Venda o sonho

Faça o seguinte: trabalhe as respostas e referências que obteve para fazer contato com as pessoas certas e, em seguida: venda o sonho! Ajude-as a criar uma visão sobre que tipo de solução resolveria seus problemas. Na sequência, faça a conexão entre a sua solução e os problemas que elas enfrentam.

Não trate seus SDRs como se fossem máquinas programadas para agendar reuniões e compromissos com pessoas que não aparecem. Você tem SDRs treinados só para empurrar produtos, reproduzir *scripts* ou forçar demonstrações? Ou eles são capazes de criar uma visão compartilhada com o cliente, construir uma relação baseada na confiança, credibilidade e empatia?

5º PASSO: Passe o bastão

Se todo o trabalho de prospecção está sendo feito pelos Executivos de Contas, você está cometendo um erro fatal. A obtenção dos resultados que você almeja dependem diretamente da existência de um time dedicado de prospecção *outbound* capaz de gerar oportunidades de negócio qualificadas para serem repassadas aos vendedores internos e externos. Há uma ciência para se fazer isso, inclusive para transferir o relacionamento do SDR para o Executivo de Contas de forma a garantir a consistência e a qualidade dos resultados.

É vital que esse processo de transferência seja simples e suave. Não deixe o bastão cair!

No capítulo seguinte, apresento um exemplo de funil de prospecção *cold calling 2.0* e, na sequência, detalho cada um desses cinco passos. ∎

CAPÍTULO 5

OS 5 PASSOS DO PROCESSO DE *COLD CALLING 2.0*

1º PASSO
ESTABELEÇA O PERFIL IDEAL DE CLIENTE (PIC) DE FORMA BEM CLARA

Qual a coisa mais importante a fazer se quiser melhorar os resultados de marketing e vendas na sua empresa? A resposta: estabeleça de forma bem clara o perfil ideal de cliente, incluindo suas características e principais desafios enfrentados. Você ainda precisará rever esse perfil muitas vezes, até chegar a uma versão final. Não é o tipo de coisa que se resolve de uma só vez.

> Estabeleça de forma **bem clara** o perfil ideal de cliente, incluindo suas características e principais desafios enfrentados.

O PIC contribui para maximizar a produtividade do marketing e das vendas de várias formas:

- Ajuda a encontrar mais facilmente grandes clientes por meio da segmentação inteligente.
- Elimina mais rapidamente os clientes que não têm o perfil.
- Essas duas frentes fazem com que o ciclo de vendas seja mais rápido e as taxas de conversão, maiores.

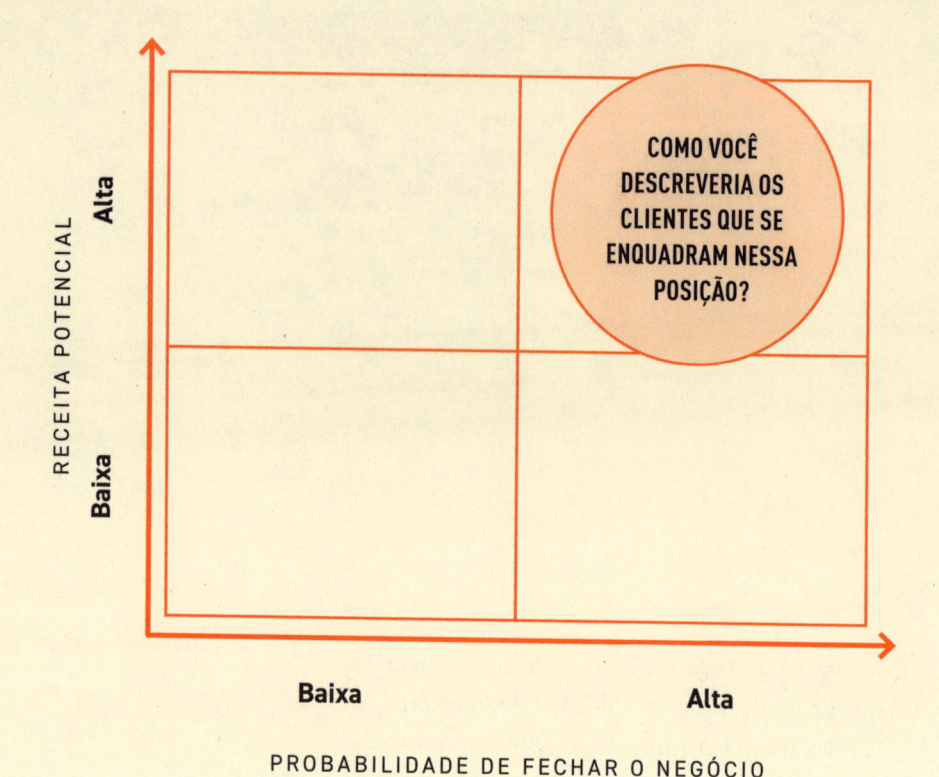

Figura 5.1 - Identificando o Perfil Ideal de Cliente (PIC)

Essa é uma série de exemplos de critérios, puramente ilustrativos, para elaborar o perfil ideal de cliente. Apresento tanto parâmetros positivos quanto negativos. Você deve reescrevê-los do zero, adicionando novos parâmetros que julgar pertinentes e retirando aqueles que não fizerem sentido. O ideal é que a descrição desse perfil caiba em uma única página.

Siga as orientações para manter a coisa simples para que, quando você contratar novas pessoas para o seu time de vendas, elas possam distinguir entre as contas e os contatos que valem a pena trabalhar das que devem ser evitadas.

Faça a segmentação de forma inteligente.

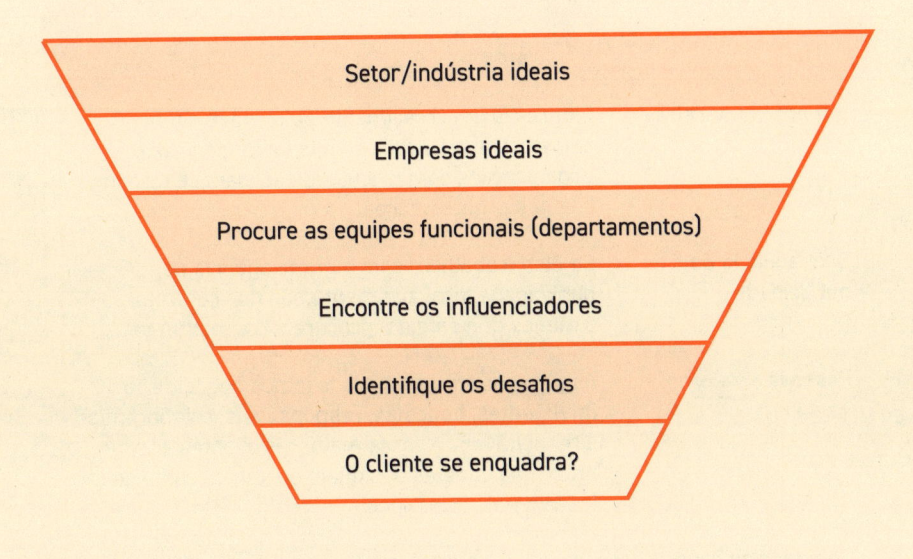

```
           Setor/indústria ideais
          Empresas ideais
       Procure as equipes funcionais (departamentos)
         Encontre os influenciadores
          Identifique os desafios
           O cliente se enquadra?
```

Figura 5.2 - Processo de segmentação de clientes

Você não precisa de tantos critérios como os que eu listo a seguir. Na verdade, uns três ou cinco já são suficientes para você tirar proveito deste exercício.

CRITÉRIOS QUE NÓS QUEREMOS	POR QUÊ?
25 a 250 empregados	Nossos clientes têm que ser grandes o suficiente para precisarem do nosso serviço. Entretanto, se eles forem muito grandes, tendem a contratar um funcionário e fazerem o serviço internamente.
Setores	Os setores em que somos mais bem-sucedidos são: mídia, tecnologia e serviços corporativos.
Modelo de vendas	Eles têm uma estrutura própria de vendas com, pelo menos, três vendedores e um Gerente de Vendas.
Gastam mais que R$ |||| por mês em ||||||||||||||||||||	Essa função é importante para eles e eles têm condições de nos pagar.

CRITÉRIOS QUE NÓS QUEREMOS	POR QUÊ?
Situação financeira	Empresas em crescimento ou rentáveis têm sido nossos melhores clientes a longo prazo. Organizações com dificuldade acabam se tornando clientes problemáticos.
Sem agência de publicidade	Se eles trabalham com alguma agência de publicidade, provavelmente não nos contratarão, a menos que estejam procurando substituí-la.
Pessoas e valores	As pessoas com as quais fazemos negócio são inteligentes, honestas, responsáveis, colaborativas e respeitáveis. Nossos melhores clientes a longo prazo são aqueles dos quais gostamos como se fossem nossos amigos.
Sem funcionários	Se existe alguém na empresa cuja única responsabilidade é ||||||||||||, eles nos verão como desnecessários.
Sistema atual	Eles devem usar algum sistema de ||||||||||. De preferência poderia ser |||||||||||| ou ||||||||||||.

Quadro 5.1 - Exemplo de critérios para a elaboração do PIC

▲ **IDENTIFIQUE OS SINAIS VERMELHOS**

Quais sinais ou indícios você pode procurar no processo de vendas que são capazes de alertá-lo (e ao cliente) de que trabalharem juntos será perda de tempo? Quanto antes isso for detectado, melhor. A seguir, apresento alguns exemplos de sinais vermelhos:

▸ Eles acabaram de implementar um sistema de ||||||||||||||||. Eles já possuem uma agência ou funcionário dedicado a ||||||||||||||||.

▸ Eles pressionam consultores e agências que contratam a fazerem ||||||||||||||||.

▸ Eles dizem já saber tudo sobre |||||||||||||||| e estão convencidos de estarem fazendo a coisa certa.

▸ Localização geográfica.

- A verba mensal de que dispõem para ||||||||||||||| é de apenas |||||||||||||||.

- Esses setores parecem nunca ter trabalhado com: |||||||||||||||, |||||||||||||||, |||||||||||||||.

O que fazemos é totalmente novo para eles e, por isso, ainda não entendem nossas atividades. Teremos que fazer muito esforço para educá-los e fazê-los compreender o valor do nosso serviço ou produto.

▲ DESCREVA OS CONTATOS IDEAIS

Você também deve fazer esse mesmo exercício para mapear o perfil de compradores, influenciadores e outros pessoas que compram da sua empresa. Veja o exemplo a seguir:

"Nosso contato ideal é um Diretor de Vendas, que tenha assumido a função há menos de 90 dias, e que esteja procurando uma forma de fazer as coisas acontecerem. Ele é orientado para processos, reporta-se diretamente ao CEO ou ao chefe de divisão, e adora dados e relatórios. Entre seus principais desafios, está a dificuldade em obter relatórios precisos para apresentar ao CEO por conta do sistema de vendas usado atualmente ou por conta dos dados nele inseridos."

▲ IDENTIFIQUE OS PRINCIPAIS DESAFIOS DELES

Para finalizar o processo de mapeamento do Perfil Ideal de Cliente, devemos perguntar: quais os principais desafios enfrentados pela empresa e pelas pessoas envolvidas no processo de compra?

Você pode saber a resposta a essa questão facilmente. Basta perguntar! Seja por meio de uma ligação ou mesmo usando um desses *softwares* de pesquisa on-line, como o SurveyMonkey, faça perguntas aos clientes como as que apresento a seguir:

- Quais são os seus maiores desafios?
- O que faz você perder o sono?
- Quais são as suas principais frustrações?
- Você tem medo de quê?
- O que é mais importante para você?

- Quanto você investe nisso atualmente?
- O que você realmente quer?

▴ ATUALIZE O PIC REGULARMENTE

Você pode ter mais de um Perfil Ideal do Cliente e também de Parceiros Ideais. Entretanto, limite-se a cinco tipos de perfis. Se, ainda assim, achar que precisa de mais perfis, há uma grande chance de sua estratégia de marketing estar precisando de mais foco. ■

2º PASSO
CONSTRUA A SUA LISTA DE CONTAS E CONTATOS

Há muitos livros e recursos on-line sobre como construir listas, e esse não é o tema principal deste livro. No entanto, darei algumas orientações a seguir para aqueles que não sabem exatamente por onde começar.

Cada fonte de contas e contatos é apropriada para um determinado tipo de negócio. Você quer atingir as maiores empresas do país? Tente a lista das maiores e melhores da Exame. Quer captar pequenas empresas? Talvez a Câmara de Dirigentes Lojistas (CDL) da sua cidade possa ajudá-lo. Ou talvez queira atingir apenas indústrias com mais de 500 funcionários? Então o anuário da Federação das Indústrias do seu estado pode ser sua melhor alternativa. No Brasil, algumas empresas de proteção ao crédito comercializam cadastros para fins mercadológicos pela própria internet. Outro recurso, o LinkedIn, tem se tornado uma poderosa ferramenta na construção de listas. O *Sales Navigator*, um dos serviços dessa rede social, permite a identificação das contas e contatos da empresa que se deseja atingir, economizando um tempo precioso e reduzindo o ciclo de venda.

Nos Estados Unidos, se você quiser vender para empresas de médio ou grande portes, há uma série de serviços bastante usados que, inclusive, se integram facilmente ao Salesforce.com e a outros sistemas de vendas. Entre eles, estão:

- Netprospex.
- ZoomInfo.
- Data.com (pertence à Salesforce.com).

- DiscoverOrg.
- LinkedIn Sales Navigator.

Dados e construção de listas são as áreas de mais rápida transformação nas vendas *outbound*, portanto sempre faça a sua própria pesquisa – incluindo o teste de amostras de listas desses fornecedores – sobre o que há disponível no mercado e o que melhor se ajusta às suas necessidades.

▲ E SE NÓS ESTIVERMOS VENDENDO PARA UM MERCADO MUITO ESPECÍFICO?

E se, ainda assim, os serviços já mencionados anteriormente não atenderem as suas necessidades? É impressionante os tipos de listas e dados que algumas empresas no exterior podem lhe fornecer, embora você tenha de considerar que a qualidade pode não ser lá grandes coisas. A Upwork.com é um excelente site para você postar projetos e receber várias ofertas de fornecedores estrangeiros dispostos a atendê-lo. ∎

3º PASSO
FAÇA CAMPANHAS DE E-MAIL *OUTBOUND*

A principal ferramenta de prospecção dos SDRs para abordar os novos contatos é o envio de e-mails em massa. Primeiro, use o e-mail para conseguir a indicação de uma pessoa de dentro da própria empresa sobre qual a pessoa mais indicada para você tratar de determinado assunto. Depois faça o *follow-up*, por telefone, das respostas e indicações que receber.

> ❝ A principal **ferramenta** de **prospecção** dos SDRs para abordar os novos contatos é o **envio de e-mails em massa**.

O envio desses e-mails em massa deve ser feito, de preferência, por meio do sistema de automação da força de vendas que você usa na sua empresa, seja o Salesforce.com ou outro qualquer. Um SDR deve enviar entre 50 e 100 e-mails de prospecção por dia e conseguir, em média, entre 5 e 10 respostas (considerando uma taxa de 10% de retorno).

Enviar e-mails em massa para contas e contatos selecionados pode parecer contraditório, mas não é. Veja como funciona a aplicação de filtros às listas de contatos para que o SDR possa enviar e-mails relevantes, mesmo os enviando em massa:

1. Selecione a vertical ou setor (varejo, financeiro, tecnologia, etc.).
2. Nível de receita.
3. Localização geográfica ou território.
4. Número de funcionários.
5. Modelo de negócio (B2B, B2C, agência, etc.).

6 Data da última atividade do contato.

7 Data da última atividade da conta.

8 Cargo ou função do contato (CEO, Diretor de Vendas, etc.).

9 Outros filtros que forem relevantes para o seu negócio.

Então, se você tiver uma base com milhares de contatos, um SDR pode segmentá-la em pequenos grupos para os quais possa enviar mensagens com informações altamente relevantes.

▲ ESCREVENDO SEUS E-MAILS

Embora eu compartilhe os modelos de e-mail que utilizo com meus clientes, não o farei aqui por dois motivos:

1 Quando você usa o modelo de e-mail de uma outra empresa, a sua comunicação fica sem identidade, artificial, sem personalidade.

2 Se todos usarem os mesmos modelos de e-mail, eles acabam perdendo a eficácia.

▲ DIRETRIZES PARA PREPARAR SEUS PRÓPRIOS MODELOS DE E-MAIL

A seguir, apresento as diretrizes para você preparar e-mails com o objetivo de iniciar uma primeira conversa com um contato desconhecido. Uma vez que tenha iniciado a conversa, poderá, progressivamente, ir aumentando a extensão dos e-mails e colocando mais conteúdo. Mas, no início:

- O seu e-mail deve parecer uma mensagem simples vinda de alguém de vendas.

- O formato do e-mail deve usar apenas texto. Evite e-mails caprichados em HTML.

- Deixe bem claro, de forma simples, o motivo do seu contato.

- Faça o e-mail de forma tão simples que possa ser lido e respondido pelo celular.

- Apresente alguma evidência de credibilidade, como nomes de alguns clientes que já utilizam o seu serviço.

- Faça uma só pergunta e que seja fácil de responder, como o nome da pessoa com quem você deve tratar daquele assunto.

- Sempre seja honesto em todas as suas comunicações, tanto por telefone quanto por e-mail.

Certa vez, vi uns vendedores usando um artifício para aumentarem a taxa de abertura dos e-mails de prospecção que mandavam. Eles colocavam na descrição do assunto uma frase começando com "Re:". Isso levava as pessoas que recebiam esses e-mails a acreditarem que se tratava de um retorno, o que as induzia a abri-los mais prontamente. Você acredita, sinceramente, que começar uma relação baseada em uma mentira pode levá-lo a algum lugar? Então, se você é o CEO ou o Gestor de Vendas da empresa, não permita ou encoraje qualquer prática dessa natureza.

Um exemplo do que não escrever

ASSUNTO: Precisa melhorar a eficácia das vendas no 2º trimestre?

Chuck,

Você é sempre pressionado a fazer projeções de receita precisas?

Você sabe quem são seus melhores vendedores e o que os torna bem-sucedidos?

Você sabe dizer quais as atividades de marketing da sua empresa que realmente geram vendas?

Você consegue saber de forma fácil e rápida detalhes sobre as propostas que estão em andamento?

Isso tudo lhe parece familiar? Os desafios que você tem são os mesmos que muitas outras empresas enfrentam. A Salesforce.com tem tido sucesso em muitas empresas líderes globais em seus segmentos, como: Adobe Systems, AOL Time Warner Communications, Putnam Lowell, Dow Jones Newswires, Berlitz Global Net, Siemens, Microstrategy e Autodesk, só para listar algumas.

> O Salesforce.com é um CRM baseado na internet, de fácil implementação e fácil de usar. As áreas de vendas das empresas usam o sistema para centralizar e controlar contatos, contas, histórico de atividades e o desempenho das vendas. Com ele, o marketing pode medir facilmente o retorno das ações e campanhas realizadas. O Salesforce.com torna fácil o trabalho de customização de relatórios, aumenta a visibilidade sobre o desempenho da empresa e das pessoas, o que melhora a gestão do seu negócio.
>
> Será que poderíamos marcar uma conversa de uns 20 minutos para falar sobre isso? Ou seria melhor eu tratar desse assunto com outra pessoa da sua empresa?
>
> Atenciosamente,
> Aaron Ross

Esse e-mail é muito longo, impessoal, difícil de ler no celular, usa uma abordagem ultrapassada de vendas e é, simplesmente, desinteressante.

Taxa de resposta: **ZERO!**

Enviando suas próprias campanhas

Comece enviando entre 150 e 250 e-mails *outbound* por semana, distribuídos em três ou quatro dias. Só para lembrar, o seu objetivo é conseguir de 5 a 10 respostas por dia, porque mais do que isso tornará difícil a gestão desse processo e você pode acabar se enrolando. Um dos erros mais frequentes que nossos clientes cometem é enviar e-mails demais no mesmo dia.

Envie os e-mails antes das 09:00 ou depois das 17:00. Evite as segundas e as sextas-feiras. E tudo bem se enviar aos domingos.

Normalmente, a taxa de resposta aos e-mails fica entre 7% e 9%, excluindo-se os e-mails devolvidos ou não entregues por algum motivo, os chamados *bounces*. Essa taxa contempla respostas positivas, negativas e neutras.

Para listas construídas há pouco tempo ou compradas, a taxa de *bounce* fica entre 20% e 30%. Exclua esses e-mails devolvidos do cálculo da sua taxa de resposta. Então, se, por exemplo, você envia

150 e-mails, recebe 10 respostas e tem 50 *bounces*, a sua taxa de resposta é de 10%. Veja por quê:

TAXA DE RESPOSTA

número de respostas / (e-mails enviados – e-mails *bounced*)

TAXA DE RESPOSTA

10/(150-50)

TAXA DE RESPOSTA

10/100 = 10%

Seja metódico na organização das respostas. Gerenciar os retornos dos e-mails é uma atividade crítica, para não ser atropelado pelo processo. Registre cada retorno e os mantenha organizados. Sugiro que você crie alguns modelos de e-mail para responder prontamente às questões mais comuns.

Não ignore os e-mails *bounced*. Elimine-os do seu mailing assim que retornarem. Com o tempo, eles podem sujar a sua base de dados e distorcer tudo que você fizer.

Aprenda a gostar das respostas do tipo: "Estou fora do escritório". Em geral esses e-mails apresentam nomes e cargos de outros funcionários, cuja função é justamente direcioná-lo às pessoas certas dentro da empresa.

▲ **E AÍ VOCÊ RECEBE UMA RESPOSTA!**

A primeira coisa a ser feita quando você recebe uma resposta é fazer o registro no Salesforce.com ou no sistema de gestão de vendas que você usa. Se for necessário, atualize o contato. Assim que você começar a enviar e-mails em massa, mandando centenas de mensagens por mês, será muito fácil perder bons contatos em meio a tudo isso.

> ❝ O **objetivo** do envio de e-mails em massa é levar o ***lead*** para a **próxima etapa.**

O objetivo do envio de e-mails em massa é levar o *lead* para a próxima etapa, que pode ser duas coisas, mas não ambas:

❶ Obter a indicação de qual a melhor pessoa na empresa para ▓▓▓▓▓▓▓▓▓▓▓▓▓.

❷ Qual o melhor dia e horário para se ter uma conversa rápida sobre ▓▓▓▓▓▓▓▓▓▓▓▓▓.

Para o objetivo 1 – obter uma indicação –, o propósito é confirmar o melhor contato para uma primeira conversa e ser conduzido a ele. Então, envie um e-mail para o contato que lhe foi indicado mencionando quem o indicou, e o coloque em cópia na mensagem. Isso demonstra que você não está fazendo uma *cold call*, e que já esteve em contato com outra pessoa da empresa ou departamento. As indicações de pessoas da própria empresa são o recurso que mais eleva a taxa de resposta.

Já no objetivo 2 – agendar uma conversa rápida –, a ideia é conversar um pouco para saber se há compatibilidade entre a sua empresa e a do cliente em prospecção. Essa ligação deve ser focada no negócio do cliente e não no seu. Você deve conduzir a conversa, fazendo perguntas abertas para incentivá-lo a falar sobre o negócio dele, e não sobre o seu.

Se você está falando mais do que 30% do tempo durante esse tipo de ligação, ou você precisa fazer mais perguntas ou simplesmente manter a boca fechada.

E, se alguém responder de forma negativa, ou com um "Não estou interessado", tente saber o porquê.

Lembre-se de que um "não" só importa quando vem do CEO ou do tomador de decisão que você estabeleceu como ideal. Ainda assim, se você receber uma negativa, tente descobrir se não é uma objeção que você consiga contornar. Muitas vezes, as pessoas dão um "não" como resposta por não terem compreendido direito o que você faz, ou o real valor da sua proposta.

▲ **CONTATOS QUE NÃO RESPONDERAM**

Se alguém não responde ao seu e-mail, não significa que não haja potencial naquela conta. Tanto o Salesforce.com quanto outros sistemas similares são capazes de rastrear quem abriu seus e-mails, com que frequência e se os encaminhou a terceiros.

E-MAILS ABERTOS NESTA SEMANA	
Nomes	**Total de vezes que foi aberto**
Chris Moloney	7
Andres Palcentino	1
Jennifer Walker	1
Larry Wiseman	1
Megan Wertymer	1
Susan Riley	1
Todd Jones	1

Figura 5.3 - Exemplo de informação extraída do *dashboard* de um SDR

Com essas informações, você passa a ter uma lista de contatos prioritários para fazer o *follow-up*, em vez de tentar fazer novos contatos de forma aleatória.

Reveja esses relatórios de tempos em tempos e, se algum contato abrir o seu e-mail mais de uma vez, ligue para ele! Se o número de vezes que uma pessoa abriu o seu e-mail for alto, provavelmente ela o encaminhou a outros colegas.

▲ EXEMPLO DE CAMPANHA PARA "ANTIGAS OPORTUNIDADES DE NEGÓCIO"

Uma boa maneira de treinar os novos SDRs e gerar novas oportunidades qualificadas de negócio é fazer campanhas de prospecção com antigas oportunidades de negócio que não vingaram, e estão inativas há mais de 6 meses.

Assim que os novos SDRs estiverem treinados e já à vontade com os antigos *leads*, será muito mais fácil lidarem com as contas novas e contatos desconhecidos. Portanto, treine-os antes de colocá-los para abordar os novos clientes.

1 PREPARAÇÃO | 2 EXECUÇÃO | 3 SIGA AS MÉTRICAS

1 Selecione 10 contas com oportunidades antigas para trabalhar

1 Enviar e-mails em massa
- Limite a 3 contatos por conta, por envio
- Envie no início ou no final do dia

1 Pegue as próximas 10-20 contas e repita o processo

2 Atualize o status da conta para "oportunidade" antiga

2 Trabalhe as respostas para marcar compromissos (registre as respostas e atualize o status da conta)

2 Quantos e-mails em massa são necessários para marcar um compromisso?

3 Adicione ou atualize os contatos importantes com os e-mails corretos

3 Ligue para as contas que não responderam, se necessário

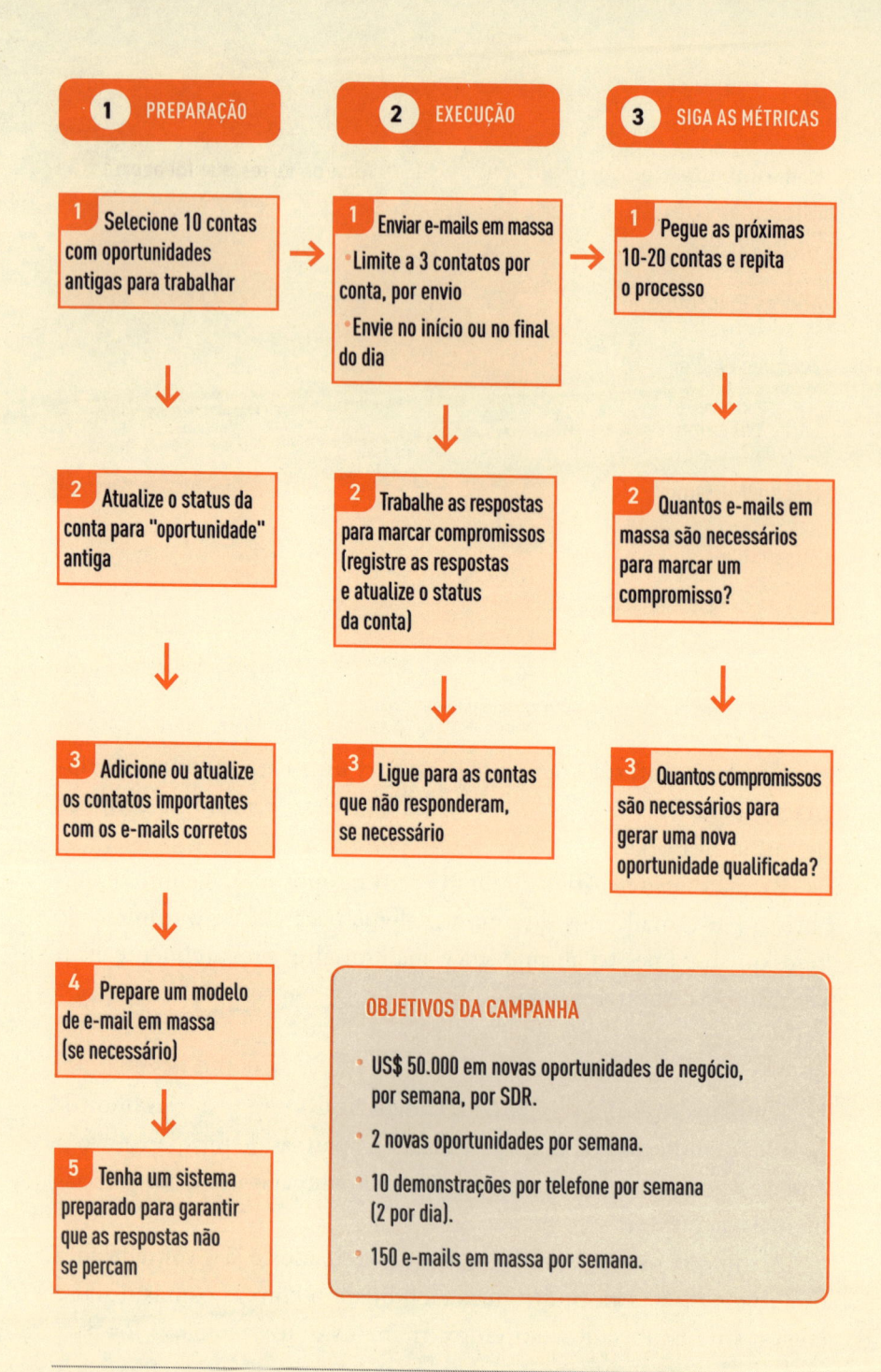

3 Quantos compromissos são necessários para gerar uma nova oportunidade qualificada?

4 Prepare um modelo de e-mail em massa (se necessário)

OBJETIVOS DA CAMPANHA
- US$ 50.000 em novas oportunidades de negócio, por semana, por SDR.
- 2 novas oportunidades por semana.
- 10 demonstrações por telefone por semana (2 por dia).
- 150 e-mails em massa por semana.

5 Tenha um sistema preparado para garantir que as respostas não se percam

Figura 5.4 - Fazendo uma campanha usando "antigas oportunidades de negócio"

▲ ENVIANDO E-MAILS NÃO SOLICITADOS EM CONFORMIDADE COM A NORMA CAN-SPAM

Como qualquer negócio, você pode enviar mensagens de e-mail não solicitadas para listas recém-adquiridas. Sempre que for usar uma lista cujos contatos ainda não fizeram o *opt-in* – autorização do recebedor da mensagem para que você possa acioná-lo –, é necessário que você siga as normas de conformidade previstas na CAN-SPAM, o ato antispam para envio de e-mail marketing nos Estados Unidos.

Selecionei as três principais diretrizes que você deve observar ao enviar seus e-mails:

- O assunto e o cabeçalho da mensagem não devem ser enganosos.
- Deve haver um endereço físico no seu e-mail.
- Deve haver uma forma de as pessoas fazerem o *opt-out*, ou seja, saírem da sua lista e pararem de receber e-mails seus.

Para maiores informações sobre essas diretrizes, consulte o site da Federal Trade Commission no endereço: https://www.ftc.gov/tips-advice/business-center/guidance/can-spam-act-compliance-guide-business.

No Brasil, existe o Código de Autorregulamentação para a Prática de E-mail Marketing (CAPEM), documento desenvolvido em conjunto pelo comitê gestor da internet no Brasil e importantes entidades de publicidade, propaganda, marketing direto, associações de classe, entre outras. Você encontra esse código no endereço: http://www.capem.com.br. ■

4º PASSO
VENDA O SONHO

Então, um de seus SDRs consegue agendar uma primeira conversa com um dos contatos em prospecção.

Supondo que você esteja falando com um contato que se enquadre nos critérios previamente estabelecidos no PIC, o objetivo de "vender o sonho" não se trata de vender, mas sim:

- Ajudar o cliente a criar uma visão da solução ideal – dos sonhos – que vá resolver os problemas dele.

- Estabelecer a relação entre o seu produto ou serviço, os principais desafios do cliente e a solução idealizada por ele.

Em qualquer conversa com um cliente em potencial, controle a ansiedade até que consiga perceber se ele realmente se enquadra ou não no perfil que você estabeleceu, o PIC. Desafie-o e veja o quanto ele está comprometido em achar soluções para as questões que enfrenta.

- Há interesse, mas ele está pronto para agir?

- Você está lidando com pessoas que têm poder de decisão ou influência?

- Há um interesse real em avançar para o próximo passo?

Os SDRs não devem simplesmente repassar oportunidades de negócio de qualidade duvidosa, que acabam dando em nada. **É melhor, para eles próprios, passarem poucas oportunidades realmente qualificadas aos Executivos de Contas.**

Acompanhe todo esse processo pelo sistema que estiver usando, seja o Salesforce.com ou outro similar.

Uma vez iniciada a conversa por telefone com um cliente em potencial para identificar se ele se ajusta ou não ao perfil desejado (PIC), o SDR deve focar a discussão no negócio do cliente, e não no seu.

Antes de discutir sobre os problemas e desafios que ele enfrenta, pergunte ao cliente – usando perguntas abertas – sobre o funcionamento do negócio dele; como está estruturado, por exemplo.

A seguir, apresento alguns exemplos de perguntas que um SDR poderia fazer nessas ligações de prospecção – *discovery calls*. Faça os ajustes necessários e os utilize nas suas prospecções. Sendo realista, numa primeira conversa, um SDR conseguirá fazer de três a quatro perguntas desse tipo. Elas estão rigorosamente em ordem, começando pelas mais genéricas, a respeito do negócio, até as mais específicas, de qualificação.

1. *Como o seu time ou função de _____ está estruturado?*
2. *Como o seu processo de _____ funciona?*
3. *Que sistema o seu time usa para fazer a gestão dos leads e das vendas, atualmente?*
4. *Há quanto tempo você usa esse sistema?*
5. *Quais são os seus desafios atuais? (pergunte: "O que mais?", depois de cada resposta.)*
6. *Você já procurou alguma alternativa?*
7. *Você já teve alguma experiência ruim com outra alternativa? Como foi?*
8. *Onde _____ se encaixa na sua lista de prioridades? O que é mais importante que isso?*
9. *O que você imagina como uma solução ideal?*
10. *Como é tomada a decisão sobre esse tipo de coisa, na sua empresa?*
11. *Por que você adquiriu o sistema que usa atualmente? Quem tomou a decisão de adquiri-lo?*

12 *Qual a chance de isso acontecer (um projeto/aquisição) ainda este ano (próximos 6 meses)?*

12 *Por que fazer isso agora? (ou, por que deixar para depois?)*

▲ MAIS DICAS PARA UMA PRIMEIRA CONVERSA

Principal objetivo: deixe os clientes em potencial falarem sobre o negócio deles. Então, por favor, escute-os!

> ❝ Deixe os clientes em potencial falarem sobre o negócio deles. Então, por favor, **escute-os**!

Fale com funcionários de níveis mais baixos na hierarquia antes de ligar para um diretor ou CEO. Descubra como o negócio deles funciona e quais os desafios enfrentados falando com alguém que conheça do assunto na empresa.

Tente ser (respeitosamente) objetivo. Se, após uma conversa, ainda não estiver claro qual a "dor" que eles sentem, pergunte diretamente: "Onde é que dói?". O que não está funcionando bem, mas deveria?

Continue perguntando até identificar qual a dor ou desafio que eles possuem. Não deixe que fiquem dúvidas a esse respeito. Pergunte sobre com quem mais você deveria falar, tanto do próprio time quanto de outros departamentos.

Agendar compromissos por e-mail é uma tremenda perda de tempo. Sempre marque o próximo passo enquanto ainda estiver com a pessoa ao telefone.

Experimente e teste essas perguntas na sua empresa, com o seu time, e veja se estão adequadas ou não. Você terá que customizá-las, ajustá-las e testá-las para alcançar bons resultados replicáveis.

▲ CONSTRUINDO CAMPEÕES

Se o cliente com quem você fez o contato está interessado no seu produto ou serviço, mas ainda não está pronto, ou precisa convencer outras pessoas na empresa, concentre suas forças em torná-lo um campeão naquilo que você faz. Faça dele o seu vendedor naquela conta.

É mais simples do que você imagina. Foque o que tornará o seu contato bem-sucedido, e não você. Pergunte a ele o que pode fazer para ajudá-lo. Dê a ele o que precisa, inclusive tempo. Fique por perto, mas sem perturbá-lo. Construa uma relação de confiança, respeito, e seja persistente.

Você está plantando sementes, e é preciso tempo para que elas brotem e floresçam. Regue-as constantemente (dê cuidado e atenção), e exercite sua paciência com elas.

▲ MELHORE A EFICÁCIA DAS LIGAÇÕES TELEFÔNICAS SEM USAR *SCRIPTS*

Os *scripts* são uma ferramenta clássica empregada amplamente em vendas e telemarketing. No entanto, gestores e funcionários das empresas estão muito mais antenados para perceber e identificar abordagens e discursos padrão que soam decorados e artificiais. Nós utilizamos duas ferramentas simples, mas muito mais eficazes, para planejar e realizar as ligações. A primeira denominamos Planejamento RAA (Respostas, Atitudes e Ações), e a outra Fluxos da Ligação.

Fazendo o Planejamento RAA da ligação

O Planejamento RAA da ligação consiste na definição dos objetivos da ligação que será feita pelo SDR ou pelo Executivo de Contas. Não leva mais que uns 5 minutos para preparar essa listagem. As perguntas que devem ser respondidas são:

- Que respostas você gostaria de obter na ligação?
- Que sensações você gostaria que o cliente em potencial experimentasse?
- Que ações deveriam ocorrer após a ligação?

Fluxos da Ligação

A ordem das questões faz toda a diferença na facilidade e eficiência com que a conversa flui. Em primeiro lugar, não usamos os primeiros 30 segundos da chamada para disparar um discurso de abertura, como reza o antigo método de *cold call*, pois já tivemos uma primeira conversa por e-mail (enviado diretamente ou por meio de uma indicação) antes de fazermos essa ligação.

Portanto, mesmo que o vendedor comece a ligação dizendo o motivo pelo qual está ligando, seu nome e empresa, não quer dizer que se trata de um *pitch* de *cold call*.

Quem faz a ligação deve usar uma abordagem que não seja agressiva, e procurar gastar a primeira metade da conversa para aprender sobre o negócio e as necessidades do cliente. Só ao final, após ter identificado suas reais necessidades, é que o vendedor deve apresentar o posicionamento e a proposta de valor da sua oferta. Isso significa mostrar de que forma sua solução se encaixa ao problema dele, evitando sobrecarregá-lo com um monte de informações e benefícios irrelevantes.

A seguir, apresento um fluxo típico para uma ligação de qualificação do *lead*:

1. **Abertura e apresentação**: "Te peguei numa hora ruim?".

2. **Discuta a situação atual** do negócio do cliente. Demonstre um interesse verdadeiro.

3. **Sonde quais são as necessidades** do cliente, e confirme o seu entendimento sobre elas.

4. **Posicione a sua solução** de forma a se encaixar ao problema que ele enfrenta.

5. Lide com as **objeções**.

6. Estabeleça os **próximos passos**.

Você não precisa de *scripts* muito elaborados para ajudar seus vendedores a fazerem ligações mais eficazes. Eles podem até ser úteis durante o período de treinamento, mas não permita que seus vendedores fiquem dependentes deles e percam a naturalidade com que conduzem as conversas.

Use mais simulações (*role-playing*) e menos *scripts* nos treinamentos do seu time para ensiná-los a se virarem por conta própria e terem conversas mais naturais.

▲ DEIXANDO UMA MENSAGEM DE VOZ

Desde que o e-mail se tornou a principal ferramenta de comunicação entre as pessoas, deixar mensagens de voz tem se mostrado uma estratégia mais eficiente do que pedir para que as pessoas retornem sua ligação. Isso se aplica, principalmente, às grandes empresas, pois as pequenas costumam retornar as ligações com maior frequência.

Deixe mensagens com o mesmo tom de voz com que costuma falar com um amigo ou parente. A ideia é fazer uma abordagem mais calorosa, que desarme o cliente. Evite recados que o façam parecer mais um daqueles vendedores chatos, formais demais e sem personalidade. Faça o seguinte:

- Deixe o número do seu telefone no início e no final da mensagem. Dessa forma, se a pessoa precisar tomar nota do seu telefone para retornar à ligação, não precisará escutar a mensagem inteira de novo.

- Fale de forma clara e pausada. Às vezes é difícil compreender as mensagens deixadas na caixa postal, especialmente se estiver escutando do celular.

- Explique em uma ou duas frases por que está ligando, e dê pelo menos uma razão para que devessem lhe retornar e como. Repita o nome do cliente, pelo menos, duas vezes na mensagem. As pessoas adoram ouvir seus próprios nomes e, além disso, é uma ótima maneira de criar empatia.

Se ainda não enviou, envie um e-mail assim que deixar a mensagem. Dê a eles mais de uma alternativa para retornarem o seu contato.

EXEMPLO N.º 1

"Oi John, aqui é o Aaron Ross da Salesforce.com. Meu telefone é (11)5555-5555. John, te mandei um e-mail uns dias atrás e ainda não tive retorno. Na verdade, esperava que você já tivesse respondido. De qualquer forma, te envio o e-mail de novo daqui a pouco. Novamente, Aaron Ross, (11)5555-5555. Muito obrigado e tenha um bom dia."

> **EXEMPLO N.º 2**
>
> *"Oi John, aqui é o Aaron Ross da Salesforce.com. Meu telefone é (11)5555-5555. John, estou ligando para ter um retorno sobre o e-mail que te enviei. Gostaria de saber se posso ou não contar com a sua ajuda. Novamente, Aaron Ross, (11)5555-5555. Muito obrigado e tenha um bom dia."*

> **EXEMPLO N.º 3 (VERSÃO MISTERIOSA)**
>
> *"Oi John, aqui é o Aaron Ross fazendo um follow-up. Meu telefone é (11)5555-5555. Estou livre hoje depois das 3 da tarde. Novamente, Aaron Ross, da Salesforce.com, (11)5555-5555. Muito obrigado e tenha um bom dia."*

O exemplo 3 provavelmente lhe renderá as maiores taxas de retorno, devido ao seu caráter misterioso. Não sou muito fã desse tipo de mensagem com contatos novos, porque podem achar que se trata de algo muito importante ou urgente quando, na verdade, se trata de um vendedor fazendo uma abordagem. Isso pode causar uma má impressão. Recomendo que só use esse tipo de mensagem com pessoas conhecidas, que poderiam ou deveriam reconhecer seu nome.

Mensagens de voz podem ser bastante eficazes se usadas em conjunto com e-mails. Quando as pessoas retornam as ligações, costumam dizer coisas como: "Eu não ia te retornar, mas como tem sido persistente...", ou "Obrigado pela lembrança, eu estava mesmo pensando em te ligar...".

As mensagens também possibilitam que a outra pessoa escute a sua voz e, com isso, perceba que você é uma pessoa de carne e osso. ▪

▲ MINHA PERGUNTA FAVORITA AO TELEFONE

Sempre fico irritado com aquele tipo de pergunta sem sentido, do tipo: "Como vai?". Fico pensando se a pessoa que está ligando realmente se preocupa ou não. Receber uma ligação pode fazer você se sentir invadido, mesmo que seja por um conhecido.

Esse tipo de detalhe é tão crítico, que mereceu este tópico à parte. Steel Shaw, que trabalhou para mim na Salesforce.com, disse que essa foi a melhor dica de vendas que havia aprendido em toda a sua vida.

Sem mais delongas, a melhor pergunta de todos os tempos para iniciar uma conversa é:

"Te peguei numa hora ruim?"

Você pode empregá-la numa conversa da seguinte forma:

"Olá ▮▮▮▮▮▮▮▮▮▮▮▮▮, aqui é o Aaron da empresa XYZ. A propósito, te peguei numa hora ruim?"

Você pode usar essa pergunta para qualquer tipo de ligação, mas ela é especialmente interessante para ligações não agendadas, quando a pessoa não espera pelo seu contato, mesmo que seja alguém do seu conhecimento.

Isso ajuda a criar uma boa impressão e estabelece o tom da conversa nos primeiros dois minutos, o que será decisivo para o restante da ligação e até mesmo para definir se haverá ou não conversa.

Quando você pergunta "Te peguei numa hora ruim?", na verdade está pedindo permissão para falar e deixá-los à vontade para prosseguir ou não. Isso aumenta a receptividade à sua ligação e reduz o desconforto de quem está recebendo a chamada.

É muito melhor do que: "Te peguei numa boa hora?". Nunca é uma boa hora para falar com pessoas muito ocupadas. O que geralmente acontece quando você faz essa pergunta é que receberá algumas das respostas a seguir:

"Não, por quê? Tá acontecendo alguma coisa?"

"Sim, eu tenho um minutinho pra falar. Como eu posso te ajudar?"

Se atenderam a ligação, mas ainda assim é uma hora ruim, esse é o momento ideal para você dizer:

"Que dia seria bom pra gente se falar? Você consegue dar uma olhada na sua agenda?".

Embora eu não seja uma pessoa insistente e controladora: faça a sua equipe usar essa pergunta religiosamente! ▪

5º PASSO
PASSE O BASTÃO

Uma pergunta que sempre ouço dos meus clientes é: "Como você define uma oportunidade de negócio qualificada? Aquela que o SDR repassa ao Executivo de Contas e é recompensado por isso?".

Esse processo era usado na Salesfoce.com somente para o time de vendas *outbound*, composto pelos SDRs. O time de vendas *inbound*, formado pelos MRRs, possuía um processo totalmente diferente para tratar os *leads* vindos do site.

Depois de muitas experiências, chegou-se a esse conjunto de diretrizes, que se mostraram as melhores na geração de oportunidades de negócio.

◂ OS FUNDAMENTOS

Além dos critérios de qualificação, para ser recompensado por uma nova oportunidade de negócio gerada, o SDR deve encontrar oportunidades que:

- Tenham um potencial de pelo menos 20 usuários. Isso é necessário para assegurar que o valor dos negócios seja grande o suficiente.

- Não deve haver "alertas vermelhos" ou obstáculos significativos nas oportunidades repassadas.

- As oportunidades de negócio devem ter sido geradas pelo próprio SDR, ou seja, não podem ter vindo do time de *inbound* ou de outros SDRs.

Figura 5.5 - O momento certo do SDR passar o bastão para o Executivo de Contas

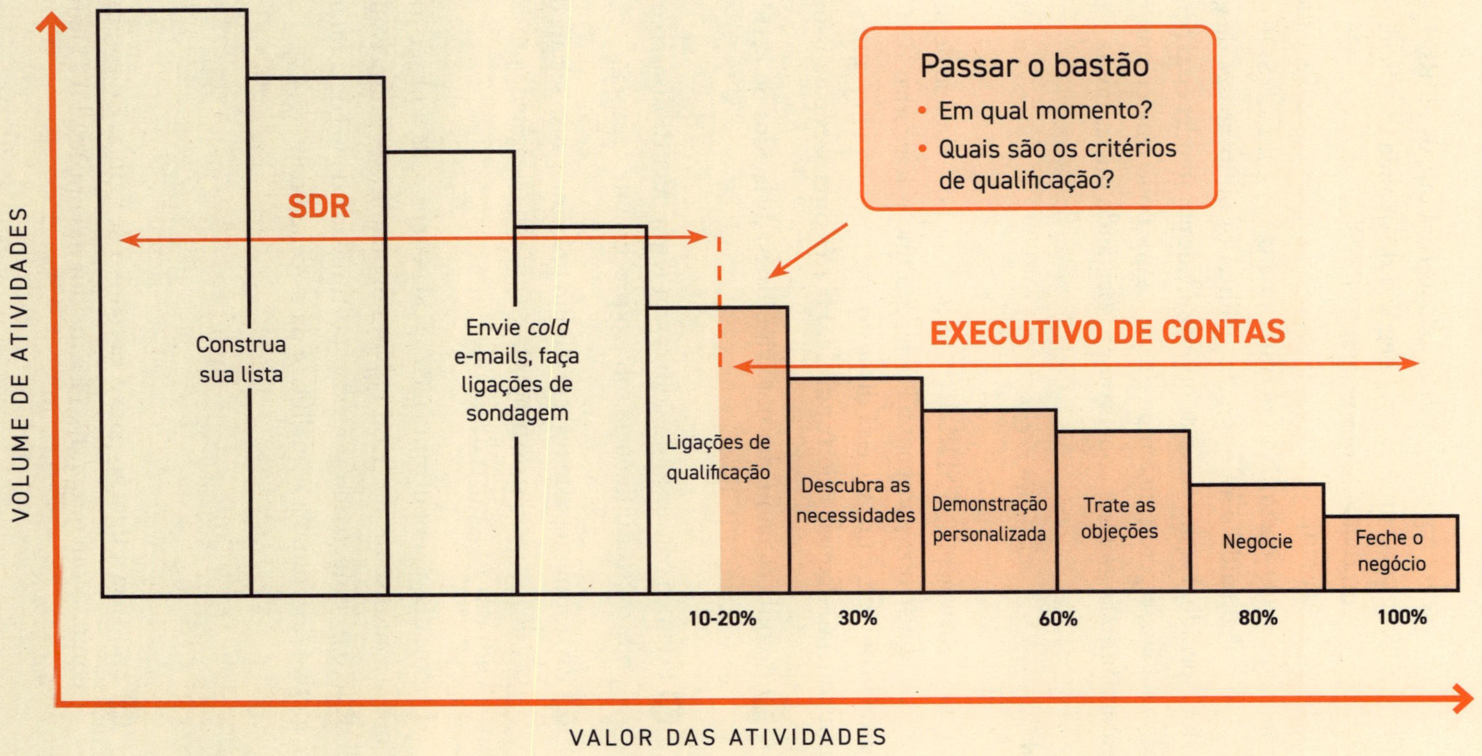

Passar o bastão
- Em qual momento?
- Quais são os critérios de qualificação?

SDR
- Construa sua lista
- Envie *cold* e-mails, faça ligações de sondagem

EXECUTIVO DE CONTAS
- Ligações de qualificação — 10-20%
- Descubra as necessidades — 30%
- Demonstração personalizada — 60%
- Trate as objeções
- Negocie — 80%
- Feche o negócio — 100%

VALOR DAS ATIVIDADES

VOLUME DE ATIVIDADES

OS 5 PASSOS DO PROCESSO DE *COLD CALLING 2.0* · 133

Você deve ter regras e diretrizes claras para que os SDRs sigam, de forma a gerar oportunidades de negócio de qualidade suficiente para justificar o tempo que a empresa gasta com elas.

Um erro bastante comum é pressionar demais os SDRs para gerar *leads* a qualquer custo. Não permita que o seu time de SDRs perca tempo trabalhando com *leads* desqualificados ou incapazes de gerar o valor esperado. Há um custo de oportunidade em atender essas pequenas contas. Elas desperdiçam tempo e recursos que poderiam ser empregados trabalhando as grandes contas ou prospectando outras novas.

▲ QUANDO UM SDR DEVE PASSAR UMA OPORTUNIDADE DE NEGÓCIO PARA O EXECUTIVO DE CONTAS?

Em linhas gerais, o SDR deve repassar a oportunidade de negócio quando sentir que compensará o tempo que o Executivo de Contas gastará com ela, e que ele está disposto a se comprometer com o encaminhamento daquela oportunidade. Há três diretrizes para isso:

1. A conta se enquadra nos critérios estabelecidos de Perfil Ideal de Cliente (PIC)?

2. Estamos conversando com quem tem poder de decisão ou que pode exercer influência sobre o processo de compra?

3. Existe um interesse real em dar um próximo passo, seja na definição de um escopo de proposta ou em uma ligação de prospecção com um Executivo de Contas?

Depois disso, a oportunidade é criada e repassada ao Executivo de Contas com o status de "Fase 1: Nova oportunidade prospectada". O SDR só é recompensado por essa oportunidade de negócio quando o Executivo de Contas a requalifica e dá o aceite final.

▲ COMO FAZER A TRANSIÇÃO DO *LEAD*, DO SDR PARA O EXECUTIVO DE CONTAS, DE FORMA SUAVE?

1. **Transfira a ligação** para o Executivo de Contas e o coloque em contato com o *lead*. Essa é a melhor das opções. Eu a chamo de *hot-transfer*.

2 **Agende uma ligação** de prospecção entre o *lead* e o Executivo de Contas. Essa alternativa é boa, caso a primeira não seja possível.

3 **Faça um e-mail** em que você apresenta o *lead* ao Executivo de Contas, envie com cópia para ambos, e coloque na mensagem as informações de contato para que eles possam se falar.

E, claro, o SDR deve registrar, no sistema de vendas, essa passagem do *lead* para o Executivo de Contas, e fazer o agendamento da tarefa para que seja dada sequência ao atendimento.

▲ O SDR RECEBE SUA RECOMPENSA APÓS O EXECUTIVO DE CONTAS REQUALIFICAR AS NOVAS OPORTUNIDADES DE NEGÓCIO

As novas oportunidades de negócio geradas pelos SDRs não recebem o status de qualificadas, até que o Executivo de Contas faça suas próprias ligações para os *leads* e as requalifique. Não recompense os SDRs antes que isso aconteça. Esse cuidado é primordial para o controle da qualidade do processo.

Assim que o Executivo de Contas fizer contato com o *lead* e certificar-se de que ele atende aos critérios de qualificação previamente estabelecidos (Podemos resolver o problema deles? Estamos em contato com quem toma a decisão? Eles querem realmente avançar para o próximo passo?), então poderá atualizar o status para "qualificado". Agora, sim, o SDR pode receber os créditos e devidas recompensas pela qualificação da nova oportunidade de negócio.

▲ CRIE UM PROCESSO DE AUDITORIA DAS OPORTUNIDADES DE NEGÓCIO GERADAS

Demandará um esforço extra, mas vale muito a pena que um gestor, ou até o próprio dono da empresa, revise cada uma das novas oportunidades de negócio geradas para garantir um alto padrão de qualidade e integridade dos resultados.

Portanto, assim que uma nova oportunidade de negócio passar para o status de qualificada, você deve verificar:

▸ Ela é realmente uma oportunidade de negócios *outbound*? Não seria um *lead* capturado do *inbound*?

- Ela passou pelo processo de requalificação, por telefone, do Executivo de Contas? Às vezes, o Executivo de Contas, no intuito de ajudar seu colega SDR, modifica o status do *lead* para qualificado, antes de fazer a requalificação. Isso é inadmissível! O SDR registrou a oportunidade de negócio no sistema de vendas de forma adequada? Se não há registro no sistema, não há oportunidade, e o SDR não receberá sua recompensa.

Os benefícios desse processo de auditoria, mesmo que ele tome um certo tempo e energia para ser feito, são claros e concretos:

- Quando eu apresentava os resultados para meus superiores na Salesforce.com, incluindo o CEO Marc Benioff, tinha total confiança na confiabilidade e integridade dos dados.

- Havia provas concretas do retorno sobre o investimento (ROI) no time.

- O processo de auditoria fazia com que os SDRs zelassem mais pela qualidade do trabalho, e evitassem certas atitudes, como usar *leads* vindos do time de *inbound*.

Esse processo estabeleceu um ambiente de confiança entre todos os membros do time, em que se percebia que os resultados de cada um eram lícitos e que ninguém tinha trapaceado.

▲ AVANCE OS CLIENTES DE UM STATUS PARA O OUTRO, COMO SE FOSSE UMA LINHA DE MONTAGEM

Não há como criar uma receita previsível sem um funil de vendas previsível. Isso exige que sejam definidas formas de mensurar e acompanhar todas as etapas do processo de geração das novas oportunidades de negócio.

Uma forma eficaz é usar um sistema de automação de vendas ou CRM como se fosse uma linha de montagem, capaz de produzir novas oportunidades de negócio de forma sistemática, mensurável, consistente e previsível.

Da mesma maneira que você usa etapas para acompanhar a movimentação e evolução dos negócios dentro de um processo de vendas, também deveria usá-las no controle da prospecção.

E se, além disso, você for capaz de estabelecer métodos e ações para lidar com o cliente em cada uma dessas etapas, estará mais próximo de se tornar um vendedor mais eficaz. O nome que damos ao processo de prospecção, análogo ao de vendas, é "status da conta".

Esses estágios são separados e complementares aos de vendas, porque precedem a criação da nova oportunidade qualificada de vendas.

A seguir, apresento uma proposta de "linha de montagem" para controlar todo o processo de prospecção, que você pode adequar e usar da maneira que melhor atender à sua empresa.

Essas etapas de "status da conta" são equivalentes aos estágios de venda que a Salesforce.com usa para classificar as oportunidades de negócio, especialmente para contas/empresas. Portanto, a conta pode estar fria, ou em atividade, e assim por diante.

É fundamental para os SDRs serem capazes de organizar as contas dessa forma para focarem as contas certas, com mensagens pertinentes e no momento adequado, para evitar que todo o esforço empreendido seja desperdiçado.

Seria vergonhoso para os seus SDRs enviarem e-mails ou fazer ligações de prospecção para seus clientes atuais.

Figura 5.6 - O processo de prospecção como "linha de montagem"

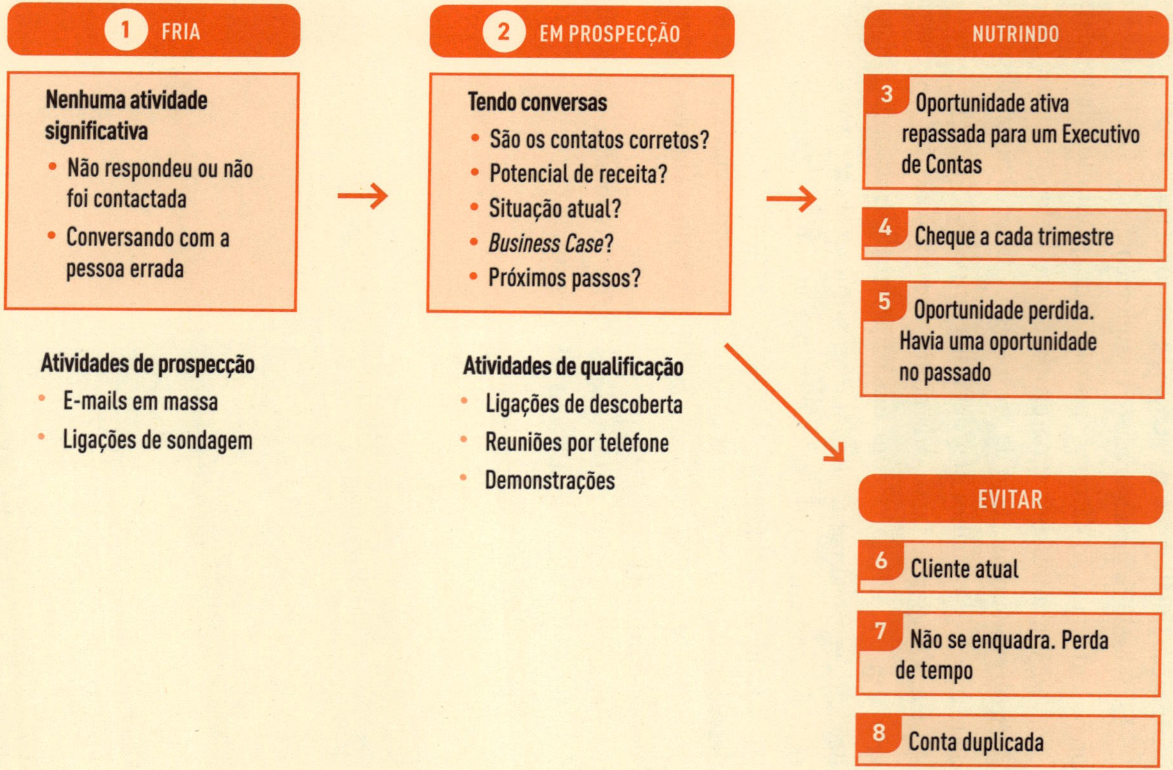

1 FRIA

Nenhuma atividade significativa
- Não respondeu ou não foi contactada
- Conversando com a pessoa errada

Atividades de prospecção
- E-mails em massa
- Ligações de sondagem

2 EM PROSPECÇÃO

Tendo conversas
- São os contatos corretos?
- Potencial de receita?
- Situação atual?
- *Business Case*?
- Próximos passos?

Atividades de qualificação
- Ligações de descoberta
- Reuniões por telefone
- Demonstrações

NUTRINDO

3 Oportunidade ativa repassada para um Executivo de Contas

4 Cheque a cada trimestre

5 Oportunidade perdida. Havia uma oportunidade no passado

EVITAR

6 Cliente atual

7 Não se enquadra. Perda de tempo

8 Conta duplicada

▸ COMO USAR AS ETAPAS DO PROCESSO DE PROSPECÇÃO?

Crie um campo no seu sistema de automação de vendas, na aba ou página de contas e organizações, com o formato de uma lista de seleção. Adicione os oito parâmetros que serão apresentados mais à frente. Teste-os e adéque-os às necessidades do seu negócio ou empresa.

Status 1: Conta fria

O status de "fria" atribuído a uma determinada conta quer dizer que não houve nenhuma atividade até o momento, e não é possível dizer se ela se enquadra ou não em um dos perfis ideais de cliente. Geralmente esse status é conferido a contas que não responderam a contatos anteriores ou listas recém-adquiridas.

Status 2: Conta em prospecção

Esse status concentra as contas que os SDRs estão fazendo contato e pesquisando. Possivelmente um SDR já está conversando com essa conta por e-mail ou telefone. Nesse ponto, ainda não se sabe se o cliente em prospecção se enquadra nos parâmetros preestabelecidos, se tem interesse, e quem são os influenciadores com os quais se deve falar.

O objetivo de um SDR com uma conta "em prospecção" é evitar que ela seja elevada ao patamar de "oportunidade de negócio qualificada" a qualquer custo. A meta prioritária é verificar se há realmente, ou não, uma oportunidade de negócio naquela conta, nas próximas semanas ou meses. Se não houver, é melhor deixá-la de lado, a gerar uma oportunidade desqualificada que possa tirar o foco do time.

Status 3: Nutrir, oportunidade ativa

Quando um SDR gera uma oportunidade e ela ainda está ativa, use esse status para tirá-la do funil de prospecção. Isso facilita o acompanhamento das oportunidades de negócio que foram repassadas para os Executivos de Contas e evita que o "bastão caia", o que ocorre com maior frequência do que gostaríamos.

Status 4: Nutrir, checagem trimestral

Eu adoro classificações que falam por si só, como essa. O sentido desse status é mais ou menos o seguinte: não há nenhuma oportunidade aqui, mas pode haver algum dia. Então, passe por aqui de tempos em tempos (trimestralmente) para verificar.

Status 5: Nutrir. Oportunidade encerrada

Contas com oportunidades encerradas são especiais e merecem uma categoria própria, pois têm maiores chances de se tornarem clientes no futuro.

Status 6: Evitar. Cliente atual

Se você tem um pequeno negócio, pode achar desnecessário criar esse tipo de status para uma conta, mas acredite em mim. Com o tempo, a quantidade de contas na sua base de dados será tão grande que fica difícil para os SDRs distinguir entre quem é, ou não é, cliente. Atribuindo o status de "Evite. Cliente atual", essa missão fica bem mais fácil de ser cumprida.

Status 7: Evitar. Perfil inadequado

Neste caso, a conta não se enquadra em um dos perfis estabelecidos. Deve ser evitada para que não sejam gastos tempo e recursos com ela.

Status 8: Evitar. Conta duplicada

Às vezes, você não quer deletar uma conta ou *lead* do seu sistema por algum motivo. Assinalando esse status, você garante que isso não aconteça.

Atenção, SDRs! Os Executivos de Contas são seus clientes.

A sua missão como vendedor é gerar tanto valor para o seu cliente, que ele falará para todo mundo como você é bom e como o seu trabalho é excelente. Isso serve tanto para uma empresa quanto para um indivíduo.

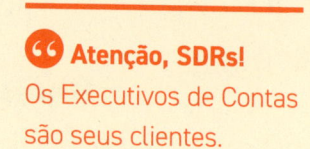

> **❝ Atenção, SDRs!**
> Os Executivos de Contas são seus clientes.

Como SDR, seus clientes são os Executivos de Contas com os quais trabalha. Faça-os bem-sucedidos e eles o farão também.

Seus clientes são sempre o seu maior patrimônio.

Em geral, as primeiras duas a quatro semanas de trabalho de um SDR recém-contratado são empregadas no treinamento institucional, de produtos e serviços, entre outros. Só depois é que ele deve ser treinado nos processos e atividades da sua função como SDR.

Vamos considerar que o nosso novo SDR comece o seu treinamento específico a partir da terceira semana. Então, teríamos a seguinte proposta:

Terceira Semana
Todos os dias: cumprir três metas (veja os exemplos mais à frente).

1. Treinamento diário.
2. Configurar o Salesforce.com (ou outro sistema) e explorá-lo.
3. Sentar-se com um SDR veterano e com um Executivo de Contas todos os dias.
4. Adicionar uma conta e contatos a partir da fonte de dados disponível.
5. Aprender a como evitar a duplicidade das contas no sistema de vendas.
6. Enviar de 20 a 50 e-mails *outbound* para novos contatos.
7. Fazer a transição do território de um SDR anterior.

Quarta e Quinta Semanas
Todos os dias: cumprir três metas (veja os exemplos mais à frente).

1. Enviar 100 e-mails *outbound* antes da sexta-feira.
2. Praticar a forma correta de acompanhar e responder aos e-mails.
3. Fazer uma média de cinco ligações de prospecção por dia, até a sexta-feira.
4. Ter um SDR veterano sentado ao seu lado uma vez por dia, todos os dias.
5. Rascunhar um painel de controle (*dashboard*).
6. Discutir uma nova seção do material de treinamento com o time.

EXEMPLOS DE METAS DIÁRIAS PARA O NÍVEL INICIANTE

- Pegar um novo módulo do treinamento on-line do Salesforce.com para estudar.
- Ligar para cinco *leads* antigos que estiverem no sistema, para treinar como ter uma conversa de negócio com clientes.
- Discutir o perfil ideal de cliente (PIC) com os colegas.
- Aprender sobre os tipos de status que uma conta pode ter.
- Adicionar cinco contas e seus respectivos contatos no sistema de vendas.
- Enviar e-mails em massa.
- Encontrar com um mentor para conversar.
- Encontrar com alguém de outro time para conversar.
- Escutar uma ligação de um SDR com um cliente.
- Escutar uma ligação de um Executivo de Contas com um cliente.
- Rascunhar um dia típico de um SDR.

EXEMPLOS DE METAS DIÁRIAS PARA O NÍVEL INTERMEDIÁRIO

- Configurar relatórios ou um *dashboard* no sistema de vendas. Fazer sua própria "cola" para usar durante o trabalho. Praticar ligações de mapeamento em contas frias, ligando para a secretária de um CEO e solicitando o contato da pessoa correta para falar, por exemplo.
- Simular algumas ligações com um colega de trabalho. Fazer um projeto para mapear grandes contas considerando, por exemplo,

a lista das 1.000 maiores empresas brasileiras e separando-as em três a cinco segmentos.

- Fazer um rascunho do plano mensal de trabalho contendo a visão, os métodos e as métricas.

- Simular uma conversa do tipo problemas *versus* soluções com um colega.

- Fazer uma campanha com as oportunidades perdidas em contas antigas.

E lembre-se, você precisará experimentar, testar e medir para descobrir o que funciona, ou não, para a sua empresa e para o seu time. Se algo não funcionar logo de cara, continue fazendo os ajustes necessários. ∎

CAPÍTULO 6

TIPOS DE *LEADS* E COMO GERÁ-LOS: SEMENTES, REDES E ALVOS

Por que as pessoas tratam os leads *como se todos fossem iguais? Eles não são gerados da mesma forma. Você precisa saber a diferença entre eles para construir uma base sólida para a sua máquina de vendas previsíveis.*

DEFININDO OS CONCEITOS DE *PROSPECTS*, *LEADS*, OPORTUNIDADES DE NEGÓCIO, CLIENTES E CAMPEÕES

A seguir, apresento as minhas definições sobre os termos usados. Mais importante do que a sua definição de *lead* ou qualquer outro termo, é que todos tenham a mesma compreensão sobre o que está sendo dito.

▲ PROSPECTS OU CONTATOS

Uma lista com nomes extraídos de um banco de dados, que você usará em alguma campanha de marketing, mas que ainda não deram nenhuma resposta positiva ainda, é o que eu chamo de *prospect*. Portanto, um *prospect*, para mim, é apenas um registro de um banco de dados que não tenha tido qualquer interação com a empresa até um dado momento.

Quando você compra uma base de dados com nomes de empresas e contatos da InfoUSA, Data.com ou Hoovers, você está comprando uma lista de *prospects* e não de *leads*. No Brasil, você também pode comprar essas listas de algumas empresas que trabalham com serviço de proteção ao crédito. Elas vendem listas segmentadas de acordo com o perfil do mercado ou clientes que você deseja. Outras alternativas são os anuários de associações, federações e outros tipos de entidade que costumam apresentar seus membros em catálogos impressos ou em sites na internet.

▲ LEADS

Lead é um *prospect* que respondeu positivamente a algum estímulo e demonstrou interesse na sua oferta se inscrevendo em um *webinar* ou baixando um artigo. Se esse *lead* é ou não de qualidade não é o ponto mais relevante. O fato é que, se ele se registrou por algum motivo, já é um *lead*.

> 💬 *Lead* é um *prospect* que respondeu **positivamente** a algum estímulo e demonstrou interesse na **sua oferta.**

▰ OPORTUNIDADE DE NEGÓCIO

Depois que um *lead* é qualificado por alguém, seja por e-mail ou telefone, e preenche os requisitos de qualidade estabelecidos pela empresa no seu perfil de cliente ideal, ele se torna uma oportunidade de negócio.

▰ CLIENTES

Clientes são aqueles que deram a você alguma receita.

▰ CAMPEÕES

Chamo de campeão todo cliente ou pessoa que faz indicações, recomendações, oferece seu testemunho ou ajuda de forma ativa. Garanta que eles recebam bastante atenção! ∎

DISTINGUINDO OS DIFERENTES TIPOS DE *LEADS*: SEMENTES, REDES E ALVOS

Percebo uma grande confusão e falta de entendimento entre CEOs, Diretores de Marketing, Vendas e outros executivos sobre o conceito de *lead*. Como não há consenso em relação ao termo e de que forma serão realizadas projeções factíveis, há uma série de equívocos de comunicação, conflitos e desentendimentos.

O mais usual é colocarem todos os *leads* no mesmo saco e começarem a fazer projeções com base em resultados históricos.

Depois de algum tempo ouvindo esse tipo de reclamação, resolvi criar essa classificação e desenvolvi um modelo que separa os *leads* em três grupos: os *leads* semente, os *leads* rede e os *leads* alvo.

Cada um desses três tipos de *lead* tem características específicas quanto à sua adequação ao perfil ideal de cliente, a velocidade com que percorrem o ciclo de vendas, o retorno sobre o investimento que proporcionam e outros aspectos.

Acredito que a denominação que escolhi – sementes, redes e alvos – faz com que os times tenham um mesmo entendimento sobre as análises e projeções de *leads* que preparam.

Vendas *Outbound*

Vendas Direcionadas

ALVOS

SEMENTES

Boca a Boca

Relações Públicas

REDES

Programas de Marketing

Figura 6.1 - Os três tipos de *leads*

▲ *LEADS* DO TIPO "SEMENTE"

Os *leads* do tipo semente são aqueles que consomem muito tempo para serem cultivados e para ramparem, mas, uma vez que se engajam no processo, são imbatíveis e possuem as maiores taxas de conversão. Esse tipo de *lead* vem por meio de clientes satisfeitos, busca orgânica na internet usando métodos de SEO (Search Engine Optimization), relações públicas, grupos de usuários, redes sociais e publicação de conteúdos especializados.

▲ *LEADS* DO TIPO "REDE"

Os *leads* do tipo rede são uma alusão a uma grande rede que você arremessa para ver se pega alguma coisa. São os programas tradicionais de marketing que podem envolver campanhas de e-mail marketing, propaganda, eventos e marketing na internet no modelo PPC (*pay-per-click*).

▲ *LEADS* DO TIPO "ALVO"

Por último, os *leads* do tipo alvo são aqueles que exigem esforços do seu time de *outbound* para serem, digamos, caçados. Normalmente são capturados usando programas como: os 10 clientes TOP, *cold calling 2.0*, etc.

Figura 6.2 - Exemplo de funil de prospecção para capturar *leads* do tipo "rede"

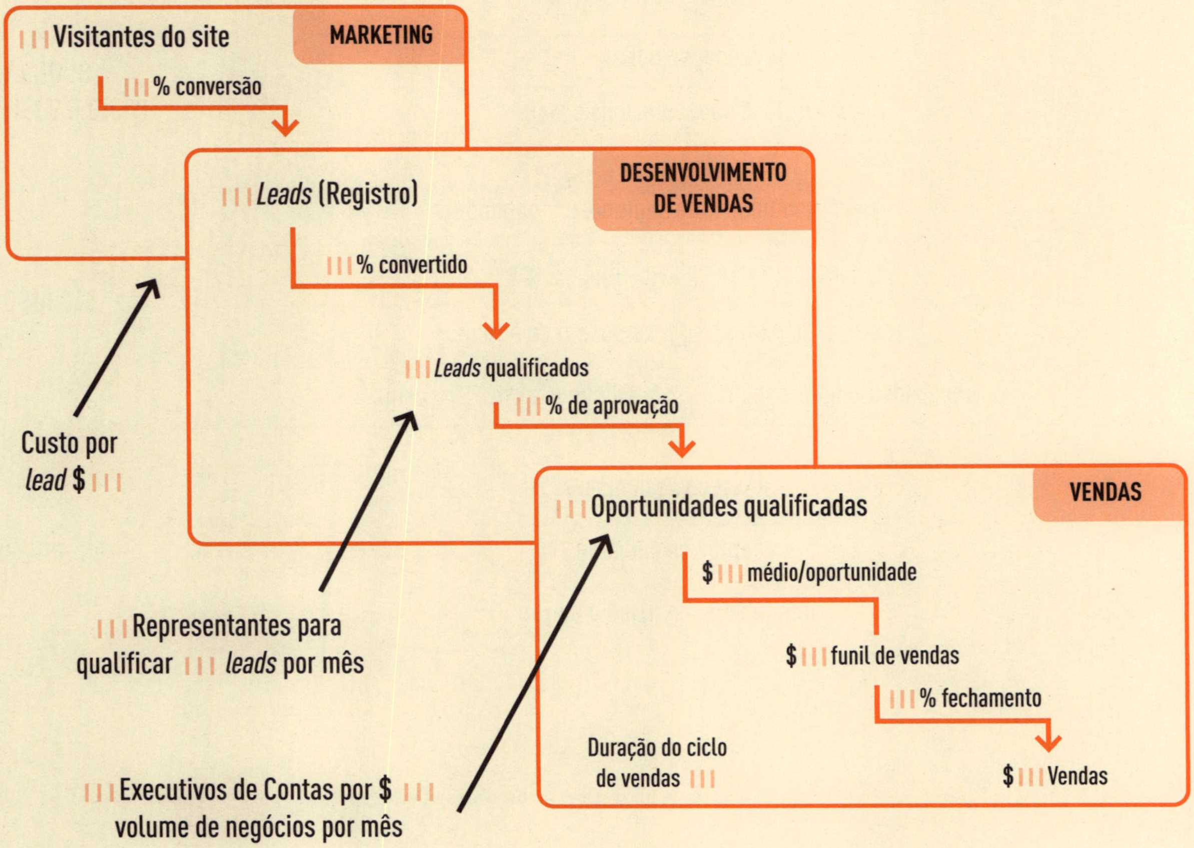

MARKETING

||| Visitantes do site
||| % conversão

DESENVOLVIMENTO DE VENDAS

||| *Leads* (Registro)
||| % convertido
||| *Leads* qualificados
||| % de aprovação

VENDAS

||| Oportunidades qualificadas
$ ||| médio/oportunidade
$ ||| funil de vendas
||| % fechamento
$ ||| Vendas

Duração do ciclo de vendas |||

Custo por lead $ |||

||| Representantes para qualificar ||| *leads* por mês

||| Executivos de Contas por $ ||| volume de negócios por mês

TIPOS DE *LEADS* E COMO GERÁ-LOS: SEMENTES, REDES E ALVOS • 149

Figura 6.3 - Exemplo de funil cold calling 2.0 para prospecção de leads do tipo "alvo"

PREPARE-SE
- Defina o perfil ideal do cliente
- Adicione as contas
- Adicione os contatos

PROSPECTE
- Envie ||||| cold e-mails e faça ||||| ligações de prospecção
- Trabalhe as respostas (9% de taxa de retorno)
- Faça ||||| ligações de qualificação
- Agende ||||| reuniões e/ou demonstrações

COMECE O CICLO DE VENDAS
- ||||| Novas oportunidades qualificadas
- ||||| Negócios fechados

COMO GERAR UM FLUXO ESTÁVEL DE *LEADS* PELO *INBOUND*?

A seção a seguir foi escrita, a meu pedido, por Peter Caputa, da Hubspot. Quando nos encontramos pela primeira vez, imediatamente apreciamos as ideias um do outro. Estou muito feliz em poder compartilhar as ideias de Peter sobre como gerar leads por meio do inbound.

Inbound lead é o nome dado ao *lead* que vem até você. Em geral isso acontece por meio de uma inscrição no seu site ou um pedido de retorno pelo telefone. São aqueles que acham você, antes que você o faça.

> *Inbound lead* é o nome dado ao *lead* que vem até você.

O fluxo de *inbound leads* pode ser bastante instável, indo e vindo dependendo do tipo de propaganda e de relações públicas que sua empresa usa num dado momento. Mas há formas de se criar um fluxo maior e mais previsível.

▲ **QUAIS OS MÉTODOS DE *INBOUND* QUE MAIS FUNCIONAM?**

As atividades de *inbound* apresentadas a seguir estão ranqueadas de acordo com a sua capacidade de gerar *leads*:

1. Indicações e referências.
2. Recursos e versões de teste, grátis.
3. Busca orgânica na internet/SEO.

4 Blogs.

5 *Newsletters* enviadas por e-mail.

6 *Webinars*.

7 Anúncios do tipo PPC (*pay-per-click*).

8 Parcerias com blogueiros e empresas.

9 Mídias sociais.

Entretanto, todas essas atividades são complementares e pode ser difícil separá-las. Os blogs, por exemplo, ajudam no trabalho de SEO e no envio de *newsletters* por e-mail. Todas essas ferramentas são responsáveis por fazer as duas coisas mais importantes do *inbound*:

1 Atrair novos *prospects*.

2 Nutrir os *leads* já existentes.

Se eu fosse um Diretor de Marketing ou Vendas, ou dono de um pequeno negócio que estivesse começando a usar o *inbound* marketing, não deixaria de fora nenhuma dessas ferramentas. Mas como essas coisas não acontecem de um dia para o outro, escolheria apenas três delas para implementar num primeiro momento.

A maioria dessas técnicas requer mais tempo do que dinheiro. Umas são a base de outras, daí a importância em saber priorizá-las.

◂ CONSIGA REFERÊNCIAS

O melhor marketing que você pode ter como recurso para o *inbound* são clientes satisfeitos. Quando os clientes recomendam seu produto ou serviço para alguém, estão dizendo indiretamente que você tem credibilidade e é confiável. É como se a credibilidade existente entre eles fosse transferida para você.

Na internet, você pode acelerar esse processo de receber referências, fazendo o mesmo a outras pessoas. É a lei da reciprocidade. Também deve estar disponível para trocar mensagens e fazer contato com novas pessoas tão logo elas o acionem, havendo ou não relação direta entre as necessidades delas e o seu produto ou serviço.

◢ CRIE RECURSOS E VERSÕES DE TESTE GRATUITOS

Talvez seja difícil lembrar agora, mas cerca de dez anos atrás era raro uma empresa de *software* oferecer versões de teste gratuitas, conhecidas como *trials*. Ficavam preocupados se a concorrência aprenderia muito sobre o produto deles e que isso pudesse, de certa forma, tirar parte da vantagem frente aos *prospects*.

A Salesforce.com ajudou a mudar esse cenário e foi uma das pioneiras em oferecer uma versão gratuita do seu serviço, por 30 dias, no seu site. Essa estratégia se tornou a número um em termos de geração de *leads* e vendas para a empresa.

A HubSpot tem um site, o WebsiteGrader.com, que nada mais é do que uma ferramenta grátis de SEO que permite a qualquer pessoa analisar a efetividade de seu site ou marketing on-line. A Marketo oferece todo tipo de treinamento e recursos educacionais gratuitamente. A LandSlide tem uma ferramenta, também grátis, na qual você pode desenhar o seu processo de vendas. Praticamente todas as empresas que vendem algum tipo de *Software* as a Service (SaaS) oferecem alguma versão gratuita do seu produto ou serviço. Se há um jeito de disponibilizar gratuitamente parte do seu produto, que seja útil para o *prospect*, não deixe de fazê-lo. Essa será, potencialmente, a sua melhor ferramenta de geração de *leads* e vendas.

Mesmo que a sua empresa não venda um *software*, que tipo de ferramenta ou recurso gratuito você poderia oferecer? Talvez uma consulta grátis? Uma série de vídeos de treinamento sem custo? Amostras do seu trabalho ou produto? Enfim, de que forma pode fazer o *prospect* experimentar o seu produto ou serviço?

◢ FAÇA A OTIMIZAÇÃO DE MOTORES DE BUSCA, O SEARCH ENGINE OPTIMIZATION (SEO)

Esta atividade exige um pouco mais de paciência, mas, se feita da forma correta, ajudará todas as demais a saírem corretas. Uma boa estratégia de SEO requer uma pesquisa completa sobre as palavras pesquisadas e o monitoramento do ranking dos motores de busca – como o Google.

Se você fizer isso bem, seu blog, o trabalho de relações públicas e mídias sociais podem ajudar a reforçar o SEO sem você ter que contratar um especialista ou alguém dedicado somente a essa função. A questão é: pegue essas palavras-chave, otimize suas páginas com elas criando posts e links para o seu blog.

O efeito do SEO na geração de *inbound leads* é cumulativo e combinado. Em outras palavras, se você criar conteúdo de qualidade, e inserir links e palavras-chave nos seus artigos, daqui a um tempo, o número de *leads* gerados só tende a crescer.

▲ CRIE E MANTENHA UM BLOG

Se você optou por fazer *inbound* marketing, então deve entrar na conversa e fazer parte das discussões on-line. Muitas pessoas começam um blog pensando que basta escrever coisas interessantes. Não é bem assim. Um blog é uma via de mão dupla. Qualquer bom vendedor sabe que, numa boa conversa de prospecção, o comprador deve falar mais que o vendedor.

É a mesma coisa com o blog. É imprescindível que você se torne um recurso para outras pessoas para, de forma proativa, cooperar com outros blogs, caso deseje que façam o mesmo por você. Não é necessariamente a lei da reciprocidade, mas a da participação. Estabeleça um objetivo simples como, por exemplo, fazer contato com pelo menos um blogueiro por semana.

Em algum momento da vida de um blog, após uma audiência respeitável ter sido construída, as coisas começam a andar por si só. Pode levar meses, e até anos, se você é novo nesse negócio. Depois de um tempo, você pode focar apenas a criação de conteúdo de qualidade e a hospedagem de grandes discussões no seu blog.

▲ FAÇA E-MAIL MARKETING E NUTRIÇÃO DE *LEADS*

O envio de e-mail marketing, com permissão, ainda é a ferramenta mais importante de marketing, tanto para gerar novos *leads* quanto para nutri-los. O e-mail marketing é importante para estabelecer a sua *expertise*, criar relacionamento e credibilidade com sua audiência, promover *webinars* e eventos ao vivo, além de promover seus produtos.

> 66 O envio de e-mail marketing, com permissão, ainda é a **ferramenta mais importante** de marketing, tanto para gerar novos *leads* quanto para nutri-los.

Tudo que você precisa que o seu sistema de e-mail marketing faça, a princípio, é compartilhar os seus posts via e-mail e convidar as pessoas para eventos e *webinars* que você esteja promovendo.

As pessoas estão visitando o seu blog? Quantas pessoas se recordam de checar o seu blog sem um lembrete? Facilite o trabalho delas e deixe um lembrete na caixa de entrada do e-mail delas. Via de regra, envie pelo menos um e-mail por mês e não mais do que dois por semana.

▲ PROMOVA *WEBINARS*

Webinars são uma excelente forma de nutrir *leads*. Os *webinars* fazem com que os *leads* retornem, interajam e aprendam com você, incentivando as pessoas a divulgarem voluntariamente, para seus conhecidos, o que você anda fazendo.

Cerca de 80% dos *webinars* não são para vender alguma coisa, mas sim para ensinar. Ensine algo que seja útil às pessoas em um *webinar*. Como pode ajudá-las a melhorar no trabalho?

Webinars estabelecem credibilidade e comunicam o que você faz com uma certa neutralidade. Os *webinars* funcionam ainda melhor quando feitos como parte de uma série, fazendo as pessoas esperarem pelo próximo capítulo e comentarem com seus amigos e colegas.

Faça os *webinars* serem maiores do que você. Deixe que eles tenham a ver com os participantes, e não com a sua empresa. No formato ideal, um *webinar* deveria ser apresentado por clientes, compartilhando lições aprendidas na sua área de especialidade. Algumas dessas lições estariam relacionadas ao seu produto, enquanto outras não.

▲ FAÇA ANÚNCIOS DO TIPO PPC (*PAY-PER-CLICK*)

Anúncios do tipo PPC podem ser uma ótima fonte de geração de *leads*. Algumas empresas que operam no ambiente B2B (*business-to-business*) com produtos ou serviços mais simples costumam usar o PPC como principal ferramenta de marketing on-line.

Entretanto, para empresas que vendem produtos e serviços mais complexos, a ferramenta PPC produz resultados menos animadores. Quanto mais seus clientes demandarem confiança e conhecimento sobre o seu produto, menos estarão propensos a passar de *leads* a clientes por meio de anúncios PPC.

Estudos recentes demonstraram que pessoas com menor escolaridade tendem a clicar mais em anúncios PPC, enquanto as de maior nível de educação utilizam mais os resultados de pesquisas orgânicas.

Mesmo que em algumas situações a utilização de anúncios PPC seja uma opção para gerar *leads* sob demanda, tenha o cuidado em rastrear a qualidade desses *leads* em termos de taxa de conversão para oportunidades de negócio qualificadas e contratos fechados.

Se o seu cliente é mais sofisticado, é melhor focar as atividades de SEO e blog. Use os anúncios PPC de forma experimental para descobrir o mix de marketing on-line mais adequado para a sua empresa.

▲ FAÇA PARCERIAS COM BLOGUEIROS E EMPRESAS

Se você já alcançou um certo nível de maturidade no seu marketing e sabe quem são seus clientes ideais, pode identificar fóruns, blogs, revistas, listas de e-mail, motores de busca de setores específicos, enfim, todo tipo de publicação disponível.

Os melhores parceiros costumam ser blogueiros ou empresas que tenham listas de e-mails grandes e confiáveis, cujos interesses e valores estejam alinhados aos seus. Melhor do que comprar listas desses parceiros é colocar ofertas agressivas em sites ou *newsletters*.

Melhor ainda se fizer uma parceria com base nos resultados, na qual eles promovam o seu negócio em troca de uma porcentagem sobre as vendas, por exemplo. Dessa forma, os dois ganham. O seu parceiro cria valor para audiência dele e ainda ganha uma renda extra, enquanto você gera *leads* e vende produtos.

▲ MÍDIAS SOCIAIS

Fazer *networking* on-line, usar mídias sociais e referenciar outros sites são grandes ferramentas para apoiar o crescimento do seu blog e subir no ranking dos motores de busca. Mas descobri que o investimento isolado em redes sociais não traz tantos resultados, a não ser que você já seja famoso.

Eu, de fato, acredito que é importante, como parte do mix de marketing do *inbound*, apresentar uma cara, um lado humano da empresa. Entretanto, isso não leva à geração imediata de *leads* que serão convertidos em vendas.

As mídias sociais podem ser extremamente poderosas se um time de marketing e vendas organiza algumas ações coordenadas nas redes sociais de seus próprios membros para lançar um produto, obter *feedback* ou aumentar o reconhecimento de uma determinada campanha. Sites como o LinkedIn e o Twitter podem ser muito úteis para iniciar uma conversa com *prospects* ou *leads* que pareçam imunes a mensagens por e-mail ou voz.

▲ FAÇA MENOS COISAS, PORÉM MELHOR

Não tente fazer tudo de uma vez só! Escolha duas ou três das ferramentas apresentadas e foque a primeira. Construa aos poucos a sua área de especialidade, estabeleça seu próprio ritmo e resultados antes de inserir mais atividades. Evite gastar sua energia em muitas frentes ao mesmo tempo. ■

MAXIMIZE OS RESULTADOS COM FEIRAS E EVENTOS

Esta seção não tem a pretensão de substituir o que você já faz em termos de eventos. Pelo contrário; a ideia é fazer com que consiga gerar mais *leads* nessas oportunidades usando o seu time de vendas.

Feiras e eventos têm uma reputação terrível no que tange à geração de *leads*. Isso ocorre porque os participantes desses eventos ficam sobrecarregados com muitas atividades e opções. São bombardeados com brindes e outros artifícios para cederem seus contatos, quer tenham interesse ou não no produto ou serviço que está sendo ofertado.

Mas tudo isso não é culpa das feiras. A responsabilidade pela geração de *leads* é dos expositores, que deveriam cuidar de todo o processo, desde o período pré-feira até o *follow-up* após o encerramento, para que a feira gere bons negócios.

Você precisa de um processo que valorize mais a qualidade dos *leads* do que a quantidade.

▲ O TIME PARA O EVENTO

Quem é o responsável pela geração de *leads* no evento?

Qual é o time designado para o evento? Quem são as pessoas e os vendedores designados para cuidar do evento? É melhor ter um único time para cuidar de todo o processo do evento: preparação, execução do evento e pós-evento.

Como será medido o sucesso do evento? Jamais meça pelo número de pessoas que você cadastrou. Quantas oportunidades de negócio foram qualificadas de duas a quatro semanas após a feira? O evento gerou um volume de negócios qualificado de um a três meses depois? Quantos negócios foram fechados de 2 a 6 meses depois?

▲ A PREPARAÇÃO DO EVENTO

Pesquise o quanto antes quais empresas e pessoas participarão do evento para montar uma lista. De preferência, faça isso entre três a quatro semanas antes da feira, porque você precisará de mais tempo do que imagina.

Faça uma revisão da sua lista e defina as prioridades. Como já foi dito, coloque a qualidade em primeiro lugar, e não a quantidade. Mire nas contas e pessoas que mais se aproximam do perfil de cliente ideal.

O time de vendas para o evento iniciou o trabalho de prospecção e fez o contato inicial para descobrir quem são os alvos, e se já possuem um sistema competitivo? Quem são os verdadeiros tomadores de decisão?

Os vendedores também devem ser capazes de agendar algumas reuniões durante o evento.

Prepare uma "cola", com um resumo dos principais pontos a serem abordados nas conversas com as empresas que pretende atingir. Essas informações vão facilitar o início da conversa dos seus vendedores com os *prospects* em perspectiva.

▲ A EXECUÇÃO DO EVENTO

Tenha vendedores entre os membros do time responsável pela feira e dê tempo a eles para que possam circular pela feira, para procurar e encontrar *prospects* (com a "cola" em mãos, é claro).

Registre todas as conversas, o quanto antes, no Salesforce.com, para assegurar que os detalhes não se percam no corre-corre do evento.

Descarte algumas pessoas e evite escanear, indiscriminadamente, todos os crachás de quem entra no seu estande. E se realmente achar que alguém o fará perder tempo, é preferível reduzir a bagunça e mantê-lo fora da sua lista de *leads*. Há um custo real em manter *leads* de baixa qualidade na lista de um vendedor.

▲ A CONTINUIDADE DO TRABALHO

Escolha o mesmo time de vendas que trabalhou no evento e faça-os continuar o trabalho de priorizar e trabalhar a lista de *prospects* que, agora, devem estar muito mais à frente no ciclo de prospecção do que quando foram contatados na feira.

Por fim, questione-se sobre o que pode fazer para tornar a próxima feira ainda mais bem-sucedida. O que funcionou e o que deu errado dessa vez? ■

USE A ANALOGIA DAS CAMADAS DA CEBOLA PARA AJUDAR VOCÊ A VENDER

Mais do que nunca, os clientes estão querendo conhecer você primeiro antes de comprarem. E querem fazer isso do jeito e no tempo deles.

Se você estivesse batendo um papo comigo sobre geração de *leads* ou vendas, com certeza, em um dado momento, o termo "camadas da cebola" apareceria. Descobri que essa analogia é uma excelente ferramenta para ajudar os times de vendas a compreenderem seus produtos e ofertas.

O objetivo é deixar que os clientes escolham o caminho que querem percorrer para conhecer, passo a passo, a sua empresa e seus produtos.

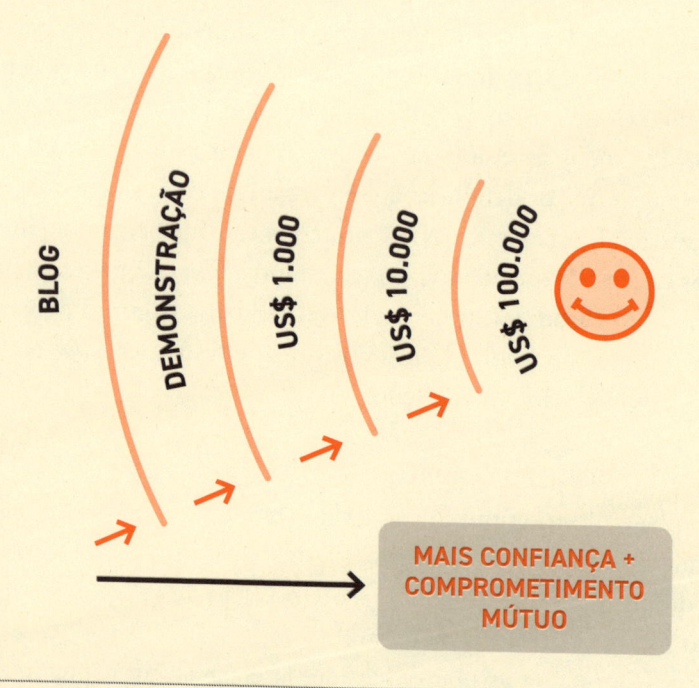

Figura 6.4 – A analogia das camadas da cebola que ajudará você a vender

A internet passou drasticamente o poder da mão dos vendedores para a dos compradores. O velho jeito de se fazer marketing e vendas empurrando as informações nos compradores, que praticamente não tinham outras fontes de acesso, acabou. Hoje em dia, os compradores são tão ou até mais bem informados que os vendedores e não se submetem mais ao controle de seus fornecedores ao longo do ciclo de vendas.

◤ NÃO RESISTA. DEIXE QUE OS CLIENTES FAÇAM O TRABALHO

Em vez de resistir a essa tendência e tentar definir a forma como os clientes deveriam conhecer a sua empresa, junte-se a eles e deixe que assumam o controle e estabeleçam a melhor maneira de conhecê-lo.

Apresente a eles uma série de opções lógicas do próximo passo e deixe que decidam como e quando avançar.

Estabelecer as camadas progressivas da cebola é a chave para receber vendas em vez de fazê-las. Portanto, deixe que os clientes trabalhem por você.

◤ A ANALOGIA DAS CAMADAS SERVE PARA AS DUAS PARTES

O uso das camadas habilita vendedores e compradores a testarem sua compatibilidade, por meio de etapas sucessivas, em que a confiança e o comprometimento vão crescendo e, assim, minimizando os riscos e custos de uma eventual incompatibilidade de interesses. Como vendedor, agora você já pode testar facilmente o quanto um potencial cliente é compatível ou não com a sua oferta.

◤ PARE DE TENTAR CONTROLAR OS *PROSPECTS*

Pare de tentar controlar quanto tempo alguém gasta para avançar no seu funil. Aceite o fato de que algumas pessoas que se inscreveram no seu blog, *trial* ou *demo* ainda não estão prontas para tomar qualquer tipo de atitude. Não tem problema, não tente pressioná-las. O que você pode fazer é tentar encontrar outra "camada da cebola" que possa oferecer a essas pessoas, que as faça darem o próximo passo.

> ❝ Pare de tentar **controlar** quanto tempo alguém gasta para **avançar** no seu funil.

Se perceber que seus *prospects* estão ficando estagnados em alguma etapa, considere a possibilidade de rever os próximos passos. Qual seria a próxima "isca" que eles adorariam receber e os faria avançar? Que novas camadas, conteúdos e produtos você poderia criar que fossem relevantes e tivessem apelo, considerando o estágio, o processo de avaliação e o ciclo de vendas em que esses *prospects* se encontram.

Então, pare de tentar controlar os *prospects* e confie na ideia de que, se há um interesse mútuo, se você continua nutrindo a relação e suas camadas são relevantes e úteis, um dia eles se tornarão clientes. ■

> **ESTUDO DE CASO: MARKETO**
>
> ## AS MELHORES PRÁTICAS DE AUTOMAÇÃO DE MARKETING: COMO A MARKETO USA O MARKETO?
>
> Quando você realmente quer aprender alguma coisa, quem você procura? O mestre!
>
> Quando eu quis aprender sobre como estruturar a melhor força de vendas possível, eu sabia aonde ir: trabalhar em vendas na Salesforce.com. Quando estava lá, eu vi, em primeira mão, como a empresa se tornou tão eficiente, em grande parte pelo uso do seu próprio sistema de automação de vendas, o Salesforce.com. Ao usar seu próprio sistema, ela expandia as fronteiras das melhores práticas de vendas.
>
> Neste livro, como um complemento sobre as melhores práticas de vendas, quero compartilhar algumas técnicas de automação de marketing. Para isso, não haveria lugar melhor que o Departamento de Automação de Marketing da Marketo. Eles cresceram do zero e atingiram cerca de 3.000 clientes em apenas cinco anos.
>
> As soluções da Marketo ajudam os profissionais de marketing a automatizar e medir a geração de demandas de suas campanhas. Elas reúnem uma série de funções, como e-mail marketing, nutrição de *leads* e *lead scoring*, que é uma espécie de pontuação dos *leads*, sobre a qual falaremos mais adiante.
>
> Gerar os *leads* é só uma parte do trabalho. Para ajudar o pessoal de vendas a tirar o máximo dos *leads*, o produto da Marketo, chamado Sales Insight, ajuda os vendedores a entender, priorizar e interagir com os *leads* e as oportunidades mais quentes.
>
> Eu quis aprender com a Marketo porque eles são *experts* em usar seus próprios sistemas e desenvolver as melhores práticas de automação de marketing.
>
> Em 2007, quando estava na Alloy Ventures, encontrei Phil Fernandes (CEO) e Jon Miller (Diretor de Marketing de Produtos) da Marketo. Desde aquela época, eu já era impressionado com a execução e a *expertise* deles em marketing. Acredito muito no trabalho

que eles fazem, e não é à toa que acabamos nos tornando parceiros, clientes. Eles se tornaram patrocinadores do meu trabalho de Receita Previsível, incluindo este livro. Eles foram bastante generosos compartilhando segredos sobre o que funciona na empresa deles.

Como a Marketo nutre, pontua e despeja toneladas de *leads* qualificados para os times de vendas de forma eficiente?

■ Uma visão geral do funil de vendas da Marketo

O funil de vendas da Marketo apresenta uma visão típica de como um *prospect* se desloca ao longo do ciclo de venda. Eles mapearam de forma precisa os estágios que um *prospect* percorre da estaca zero até se tornar um cliente de fato.

O funil de vendas da Marketo é estruturado em seis estágios: consciência, pesquisa, *prospect*, *lead*, oportunidade e, por último, cliente. Neste livro, são abordados os quatro primeiros estágios, da consciência até o *lead*.

Durante todo o processo, a Marketo usa a sua solução para monitorar os comportamentos e as ações de seus *prospects*. Veja como é o funil da Marketo:

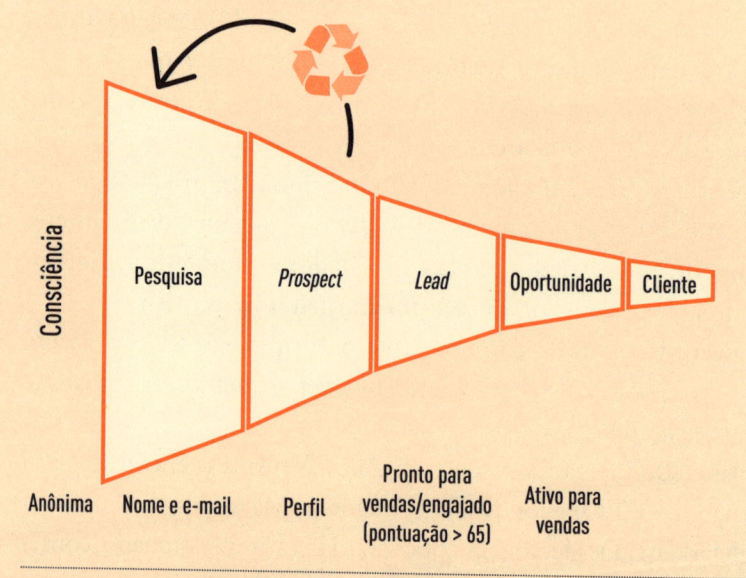

Figura 6.5 - O funil de vendas usado pela Marketo

1º Estágio: Consciência

Consciência é quando um *prospect* descobre a sua empresa. Nessa fase, o *lead* é, tipicamente, anônimo, ou seja, a Marketo desconhece seu nome ou qualquer informação para contato. Desde esse momento, a Marketo já inicia o monitoramento desse *prospect*. Veja o exemplo:

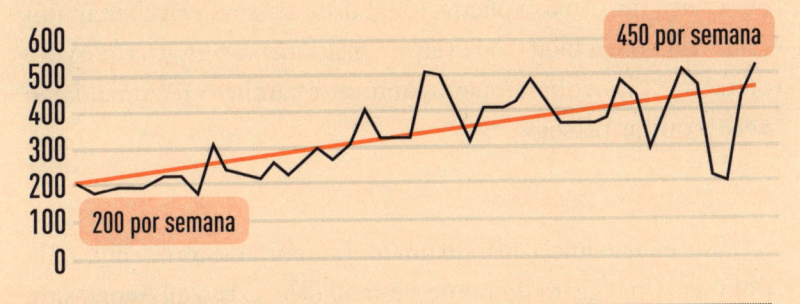

Figura 6.6 - Visitantes procurando por "Marketo", por semana (01/03/08 a 17/01/09)

A principal fonte de informação sobre consciência a respeito da Marketo são:

❶ O número de *leads* conhecidos ou anônimos que visitam o site.

❷ O número de buscas pela palavra Marketo na internet.

As principais formas que a Marketo usa para rastrear a "consciência" é observando o número de *leads* conhecidos ou anônimos que estão visitando o local, ou procurando a palavra-chave "Marketo".

A Marketo acredita que seu blog (blog.marketo.com) é a principal razão para criarem essa consciência sobre a empresa e terem atingido os primeiros 500 clientes de forma tão rápida.

Essa é uma grande lição sobre marketing e blogs. A Marketo não tenta vender seus produtos no blog. Não há nenhum tipo de venda. O blog da Marketo é popular porque reúne todo tipo de prática moderna de marketing e o pensamento de líderes no assunto. Eles convidam vários *experts* para compartilhar suas ideias em seu blog. Inclusive, eu mesmo já fui um autor convidado. Eles se tornaram uma autoridade no que fazem.

Criar um blog é uma excelente forma de estabelecer a presença digital da sua marca, direcionar os esforços de SEO e dar aos *prospects* e parceiros uma maneira fácil de conhecê-lo e poder confiar na sua empresa. É uma maneira de provar que ela é líder na vertical ou indústria escolhida.

O seu blog não é o melhor lugar para promover o seu produto ou serviço de forma explícita. Quando as pessoas perceberem um valor real do seu blog – ou eventos, *newsletters* e *webinars* que você oferece –, elas voltarão para comprar e também recomendarão você a outras pessoas.

2º Estágio: Pesquisa

Este estágio inicia quando um *lead* anônimo se torna conhecido por meio do registro do nome e e-mail dele. É isso aí! Agora, sim, ele se inscreveu para receber as notícias e atualizações da Marketo.

A maior parte do conteúdo disponibilizado pela Marketo é aberto, ou seja, não demanda o registro para que a pessoa possa acessá-lo. Apenas alguns conteúdos mais qualificados e relatórios de pesquisa exigem o preenchimento de um formulário de registro. As pessoas têm um certo receio de se inscreverem na primeira vez que se deparam com o site da sua empresa, mesmo que seja para acessar um conteúdo gratuito.

Até quando começam a coletar as informações de alguém, a Marketo tem a incrível capacidade de realizar o que é chamado de "perfil progressivo". Em vez de pedir às pessoas que preencham formulários enormes, que reduziriam as taxas de conversão, a Marketo solicita esses dados em pequenas "porções" cada vez que a pessoa acessa uma parte diferente do conteúdo.

Isso facilita a construção, passo a passo, da credibilidade com o *prospect*, enquanto a empresa continua a aprender mais sobre o potencial cliente.

Na primeira vez em que um *prospect* se registra na Marketo, só é preciso fornecer seu nome e e-mail. Da próxima vez em que tentar fazer o *download* de um novo conteúdo, um formulário já preenchido, com as informações previamente fornecidas, aparecerá na tela e alguma nova informação, como o cargo ou a empresa em que você trabalha, será solicitada.

3º Estágio: Prospect

Agora estamos entrando numa área em que a definição de cada palavra é crucial. Os conceitos de *prospect* e *leads* são especialmente importantes para se evitar qualquer confusão em marketing e vendas.

A Marketo diferencia os *prospects* (mais frios) dos *leads* (mais quentes). E por quê? Seria muito improdutivo gastar o tempo do pessoal de vendas com todos os *leads*. A Marketo quis com isso estabelecer onde o time de vendas deveria gastar o seu tempo para fazer *follow-up*.

Eles desenvolveram um sistema de pontuação para ranquear os *leads* e manter o time de vendas informado. Esse sistema é composto de uma escala que vai de 0 a 100 pontos, sendo 0 a posição em que o *lead* está mais frio, e 100 a mais quente.

Potenciais compradores com pontuação inferior a 65 pontos são chamados de *prospects*, e os que ultrapassam esse valor se tornam *leads*. Quanto maior a pontuação, mais quente é o *lead*.

Como a Marketo usa o sistema de pontuação para priorizar seus *leads*?

O princípio é bastante simples. Quanto mais pontos um *lead* possui, numa escala de 0 a 100, mais quente ele é.

Os *leads* recebem ou perdem pontos de acordo com o tipo de atividade que realizam, por exemplo, se visitou o site da empresa há pouco tempo ou pela sua frequência de visitas. A Marketo ainda leva em consideração outros fatores, como: palavras-chave, assuntos dos conteúdos acessados e ações que podem até diminuir a pontuação, como visitar a página "trabalhe conosco".

A Marketo também implementou a perda de pontos por inatividade, ou seja, quando um *lead* se torna inativo e vai ficando mais e mais frio. A seguir, vamos ver o que aumenta ou diminui a pontuação de um *lead*.

PONTUAÇÃO	CRITÉRIOS
Aspectos demográficos	
+ 30	Baseado na avaliação manual do *prospect*
+ 0 a 8	Baseado no cargo da pessoa
Fonte do *lead* e ofertas no site	
+ 7	*Lead* vindo do site
- 5	*Lead* vindo de ofertas feitas por especialistas
Engajamento comportamental	
+ 1	Se visitar qualquer página ou abrir qualquer e-mail
+ 5	Para cada *demo* assistida
+ 5	Se fizer a inscrição para um *webinar*
+ 5	Se participar de um *webinar*
+ 5	Se fizer o *download* de algum conteúdo dos especialistas
+ 12	Se fizer o *download* das avaliações da Marketo
+ 7	Se navegar em oito páginas ou mais, em uma única visita
+ 8	Se visitar o site pelo menos duas vezes, em uma semana
+ 15	Se pesquisou a palavra-chave "Marketo"
+ 5	Se visitar a página com os planos e preços
- 10	Se visitar a página "trabalhe conosco" (adoro essa!)
Se não houver atividade do *lead* dentro de um mês, ele começa a perder pontos	
- 15	Se a pontuação dele for maior do que 30 pontos
- 5	Se a pontuação dele estiver entre 0 e 30

Quadro 6.1 - Critérios e pontuações do *lead scoring* usados pela Marketo

Se quiser implementar esse tipo de sistema de pontuação na sua empresa, não se preocupe em fazê-lo de forma tão detalhada como a Marketo! Eles desenvolveram esse processo ao longo do tempo, por meio de muita experimentação, e continuam aperfeiçoando-o até hoje.

O mais importante é começar. Depois avalie os resultados, aprenda e melhore o processo até que ele se torne útil.

4º Estágio: Lead

Digamos que o seu *prospect* ultrapassou os 65 pontos e se tornou um *lead*. E agora?

A partir do momento em que um *prospect* vira um *lead*, significa que alguém está realmente interessado na Marketo e em seus produtos ou serviços.

Nesse momento, o time de vendas sabe que será produtivo fazer o *follow-up* com esse *lead* para qualificá-lo e avançar no ciclo de vendas.

■ Taxas de conversão de *leads*

Uma das cinco métricas mais importantes a serem acompanhadas é a conversão de *leads*. Qual a porcentagem de *leads* que se tornam oportunidades de negócio qualificadas?

Veja o exemplo das taxas de conversão de *leads* da Marketo.

> 66 Qual a porcentagem de *leads* que se tornam **oportunidades de negócio qualificadas**?

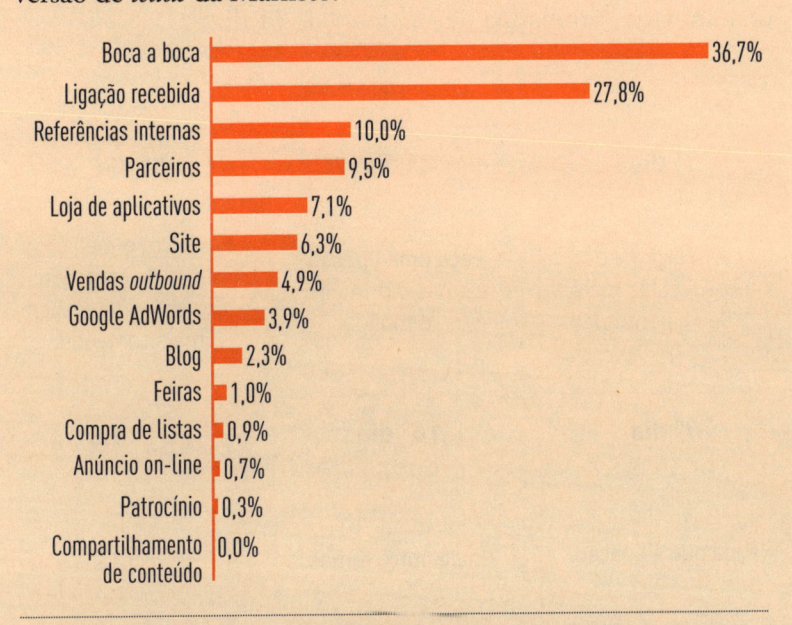

Boca a boca	36,7%
Ligação recebida	27,8%
Referências internas	10,0%
Parceiros	9,5%
Loja de aplicativos	7,1%
Site	6,3%
Vendas *outbound*	4,9%
Google AdWords	3,9%
Blog	2,3%
Feiras	1,0%
Compra de listas	0,9%
Anúncio on-line	0,7%
Patrocínio	0,3%
Compartilhamento de conteúdo	0,0%

Figura 6.7 - Taxas de conversão de *leads* em oportunidades qualificadas da Marketo

■ Mantenha contato com campanhas automatizadas de nutrição de leads

A Marketo mantém contato com os compradores no seu funil de vendas por meio de campanhas de nutrição de *leads* diferentes:

Campanhas para novos prospects *e* leads

Quando um *prospect* se registra no site para acessar algum conteúdo, assistir uma *demo* ou baixar uma versão *trial*, ele dispara uma série de e-mails de *follow-up*.

Por exemplo: depois de 11 minutos que um conteúdo é visto ou baixado, um e-mail automático é enviado do "dono desse *lead*" para esse contato. Esse dono do *lead* é um MRR (*Market Response Rep*), designado pelo próprio sistema. Os MRRs não têm que ficar o tempo todo checando seus novos *leads*, pois o Marketo é mais rápido para fazer esse trabalho.

Só depois o MRR revisa manualmente os novos *leads* gerados e decide quais valem a pena, ou não. Após decidir que um visitante é um *prospect* viável, é disparada uma nova campanha, denominada "campanha de *follow-up* de 21 dias".

Campanha de follow-up *de 21 dias*

1º dia	2º dia	5º dia
Avaliação – o *prospect* fez mais de 65 pontos?	Faça uma ligação e envie o primeiro e-mail.	Envie um e-mail com oferta de conteúdo. Convide-o a receber mais conteúdo.

9º dia	16º dia	21º dia
Faça outra ligação.	Envie outro e-mail.	Recicle.

Se não houver engajamento desse *prospect* após os 21 dias, ele passará a receber as "campanhas de manutenção de contato".

Campanhas para manutenção de contato ou "conta-gotas"

Essas campanhas constroem relacionamento com *leads* que ainda precisam de um tempo para amadurecer e estarem preparados para trabalhar com o pessoal de vendas.

Esse tipo de campanha também é conhecido como "conta-gotas". A Marketo envia conteúdo útil e relevante, em pequenas doses, ao longo do tempo. Isso estabelece uma confiança com os *leads*, ajuda-os a se moverem pelo ciclo de vendas, e os faz lembrar da Marketo assim que iniciarem o processo de compra.

A nutrição de *leads* vai muito além do número de contatos que você faz. Tem muito mais a ver com a qualidade desses momentos do que com a quantidade.

Cinco dicas da Marketo para uma nutrição de *leads* efetiva:

1. Faça valer a pena para os *leads*, e não só para você.
2. Faça em pequenas doses.
3. Ajuste o conteúdo ao perfil dos compradores.
4. Ajuste o conteúdo aos estágios do ciclo de vendas.
5. Envie no momento mais adequado.

■ O ciclo de vida de um *lead* na Marketo

Se um *prospect* excede os 65 pontos, ele já é considerado oficialmente um *lead*, e seu status é modificado nos sistemas da Marketo e da Salesforce.com.

Após essa mudança de status, a Marketo dispara um processo automático de ciclo de vida de 21 dias.

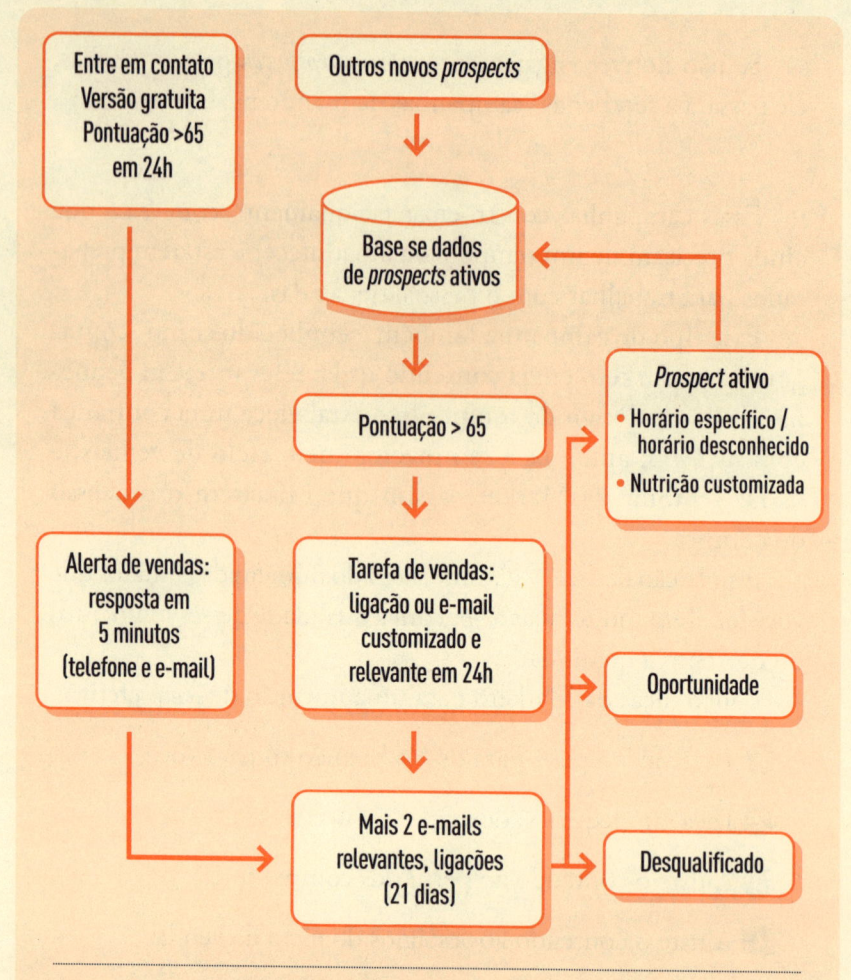

```
┌─────────────────┐      ┌─────────────────┐
│ Entre em contato│      │ Outros novos    │
│ Versão gratuita │      │    prospects    │
│ Pontuação >65   │      └────────┬────────┘
│    em 24h       │               │
└────────┬────────┘               ▼
         │              ┌─────────────────┐
         │              │  Base se dados  │◄──────┐
         │              │ de prospects    │       │
         │              │     ativos      │       │
         │              └────────┬────────┘       │
         │                       ▼                │
         │              ┌─────────────────┐   ┌───────────────────────┐
         │              │  Pontuação > 65 │   │  Prospect ativo       │
         │              └────────┬────────┘   │  • Horário específico/│
         │                       ▼            │    horário desconhecido│
┌────────▼────────┐    ┌─────────────────┐   │  • Nutrição customizada│
│ Alerta de vendas:│   │ Tarefa de vendas:│  └───────────────────────┘
│  resposta em    │    │ ligação ou e-mail│
│   5 minutos     │    │  customizado e   │──────►┌──────────────┐
│(telefone e e-mail)│  │ relevante em 24h │       │ Oportunidade │
└────────┬────────┘    └────────┬─────────┘       └──────────────┘
         │                      ▼
         │              ┌─────────────────┐
         └─────────────►│  Mais 2 e-mails │──────►┌──────────────┐
                        │ relevantes, ligações│   │ Desqualificado│
                        │    (21 dias)    │       └──────────────┘
                        └─────────────────┘
```

Figura 6.8 - O ciclo de vida de um *lead* na Marketo

Esse processo pode assumir múltiplos caminhos e três resultados. Os caminhos incluem:

Caminho rápido

Se um *lead* preenche o formulário de contato, solicita uma versão grátis, ou atinge 65 pontos ou mais, receberá um contato de *follow-up* em até 5 minutos. Um vendedor interno (*Inside Sales Rep*) receberá um alerta automático dizendo para fazer um *follow-up* com esse *lead* imediatamente, por e-mail ou telefone.

Outros prospects *novos*

Se um novo *prospect* atinge os 65 pontos ou mais, mas não se ajusta ao comportamento de "caminho rápido", uma tarefa é agendada para o vendedor, dizendo para que ele entre em contato com o *prospect* em 24 horas.

Nesse período de 24 horas, o vendedor interno pesquisa sobre a empresa para ter uma ideia de quem eles são, seu modelo de negócio, e quais são suas possíveis demandas em marketing. A partir daí, o vendedor prepara uma introdução customizada para abordar o *prospect*, o que contribui para tornar a conversa (por e-mail ou telefone) mais produtiva.

▪ Critérios de qualificação de *prospects* da Marketo

A seguir, estão os cinco principais critérios de qualificação de *prospects* da Marketo:

1. Existe um fato que exija ação imediata?
2. Há uma necessidade ou dor claramente identificada?
3. Quais são os processos e ferramentas usados atualmente?
4. Qual é o cronograma?
5. Qual é a receita anual e/ou tamanho da empresa?

Se o *prospect* não for encontrado por telefone, a Marketo envia dois e-mails e faz mais uma ligação. Depois de 21 dias de iniciado o processo, há três resultados possíveis:

> ❝ O *lead* vira uma **oportunidade de negócio**: o vendedor interno repassa o *lead* para um Executivo de Contas.

1. **O *lead* é desqualificado**: uma pequena parcela dos *leads* que nunca serão bons.
2. **O *lead* vira uma oportunidade de negócio**: o vendedor interno repassa o *lead* para um Executivo de Contas ou, se

possível, ele mesmo o converte em uma oportunidade de negócio.

❸ O *lead* é reciclado: esse *lead* continua a ser nutrido por meio de e-mail marketing. Nesse caso, ou os SDRs retornam a esse *lead* no futuro para tentar reativá-los, ou o próprio *lead* dispara o processo tomando a inciativa de reativá-lo.

■ **Torne extremamente simples para os Representantes de Vendas a tarefa de priorizar os *leads***

A Marketo adotou o Salesfoce.com como seu sistema oficial de automação da força de vendas. Além disso, a Marketo potencializa o uso do Salesforce.com com o seu próprio aplicativo opcional, o Sales Insight. Esse recurso facilita o trabalho dos Representantes de Vendas uma vez que identifica rapidamente e foca os *prospects* mais quentes.

O *dashboard* proporciona a imediata visualização da adequação demográfica do *lead* – representada por estrelas –, e da urgência com que o *follow-up* deve ser feito – sinalizado com chamas.

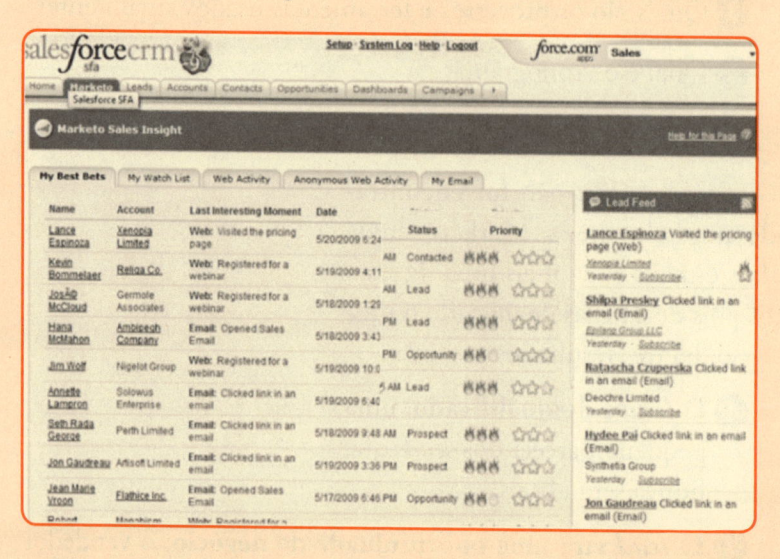

Figura 6.9 - Tela do sistema indicando os *leads* prioritários e mais quentes

Dessa forma, numa única tela, os Representantes de Vendas podem visualizar todas as contas em seu território onde há qualquer tipo de atividade, aprofundar nas informações e depois decidir com quem gastar seu tempo.

■ **Para saber mais...**

Esteja você interessado ou não em produtos da Marketo, poderá ter mais informações pesquisando no site e se inscrevendo. Em seguida, verifique como eles acompanham você: www.marketo.com. ■

CAPÍTULO 7

AS MELHORES PRÁTICAS DE PROSPECÇÃO E VENDAS

Uma coletânea de técnicas e dicas que qualquer pessoa que trabalha em vendas pode usar para melhorar seus resultados.

SEIS DICAS RÁPIDAS DE PROSPECÇÃO

1 Ligue para o pessoal de baixo e envie e-mail para o pessoal de cima

Essa tática consiste em ligar para uma pessoa de nível mais baixo na hierarquia da empresa antes de falar diretamente com quem lhe interessa. Isso permite que você aprenda um pouco mais sobre o negócio do cliente e tenha mais visão do contexto. Outro caminho é enviar um e-mail (não ligar) para alguém de um nível mais elevado, como um diretor ou até o CEO, e obter um e-mail de referência direcionado à pessoa mais adequada para tratar do assunto que lhe interessa.

2 Tenha uma atitude adequada

Ao fazer contato, seja educado e demonstre respeito pela pessoa. Jamais use de agressividade ou pressione a pessoa com quem está falando. As frases a seguir são minhas favoritas para usar ao telefone ou em e-mail:

"Te peguei numa hora ruim?" (use essa frase apenas por telefone)
"Quem seria a pessoa mais adequada para eu falar sobre _____?"
"Poderia me falar sobre _____ (time, estrutura, função, etc.)?"
"Seria perda de tempo falar sobre _____ para ver se podemos ajudar?"

3 Escreva e-mails bem curtos

Faça e-mails bem curtos e, de certa forma, calorosos. Parta da premissa de que serão lidos no celular. Faça uma, e apenas uma, pergunta por e-mail. A mensagem deve ser clara, simples e objetiva.

4 Se não houver interesse, descubra o porquê

- O problema que você resolve não é uma prioridade?
- Não há orçamento para levar o projeto adiante?
- A empresa está passando por muitas mudanças e o ambiente está caótico?
- Vale a pena investigar melhor, ou você deveria deixar para lá e tocar para frente?

Essas questões são importantes para distinguir se a falta de interesse é uma objeção a ser trabalhada ou qual o próximo passo a ser dado.

5 Não desista rápido se o cliente tiver o perfil ideal

Com clientes que tenham o perfil ideal (PIC), nunca desista até que receba um não de quem realmente toma a decisão. Não aceite uma negativa como resposta, se vier de outra pessoa, mesmo que seja de um nível mais alto. Se, por exemplo, você precisa vender para o Diretor de Vendas (o tomador de decisão), mas o Gerente de TI fala para você que é perda de tempo, não desista.

Como diria Winston Churchill: "Nunca, nunca, nunca, nunca desista!".

Mas só faça isso com aqueles clientes que tiverem o perfil ideal.

> 66 Com clientes que tenham o perfil ideal (PIC), **nunca desista** até que receba um não de quem realmente toma a decisão.

6 Sempre estabeleça qual será o próximo passo

Qual seria o próximo passo que, ao mesmo tempo, o ajudaria a avançar no seu ciclo de venda e geraria valor para o cliente? Sempre estabeleça um próximo passo que, de fato, agregue alguma coisa para o cliente, por exemplo:

- "A melhor forma de ganharmos tempo é ▒▒▒▒▒▒▒▒▒▒."
- "Tem um jeito de eu ajudá-lo a tomar uma decisão mais rápida, é ▒▒▒▒▒▒▒▒▒▒."
- "Seu time aprenderá a ▒▒▒▒▒▒▒▒▒▒."

Em geral, um de cada quatro clientes tem uma ideia clara sobre o próximo passo a ser dado. Nesses casos, com frequência, dizem algo do tipo: "Preciso ver uma demonstração". Mesmo que tenha uma ideia diferente, não discuta com ele. Pelo contrário, concorde e acrescente o que você quiser à ideia dele: "Claro que podemos agendar uma demonstração. Para otimizar o nosso tempo e tornar esse processo mais produtivo, ajudaria muito se você respondesse a estas cinco perguntas...".

Os outros 75% dos clientes provavelmente vão esperar que você os conduza pelo processo de compra e sugira o próximo passo. Portanto, esteja preparado para sugerir uma ou duas alternativas como próximo passo, baseado nas melhores experiências que teve com outros clientes. Algo do tipo: "Acreditamos que o próximo passo deva ser ▒▒▒▒▒▒▒▒▒▒".

Experimente essas dicas e verifique quais as práticas e as perguntas que funcionam melhor na sua empresa e no seu mercado. Coloque-as em uma folha para serem usadas nos treinamentos dos vendedores novatos, e para os veteranos se prepararem para fazer suas ligações. ■

MINHAS PERGUNTAS DE PROSPECÇÃO FAVORITAS

A seguir, apresento minhas perguntas favoritas para começar um diálogo e ter boas conversas com pessoas que você ainda não conhece.

"Te peguei numa hora ruim?"

Esta é a minha pergunta predileta para iniciar qualquer tipo de conversa. Ao fazê-la, você demonstra respeito pelo tempo do seu interlocutor e pede permissão para continuar a conversa. Isso faz com que ele saia da defensiva, e mostra que você não é mais um daqueles vendedores sem noção.

Na maior parte das vezes, você escutará: "É uma hora ruim, mas como eu posso te ajudar?"; e, então, vão em frente e conversam com você por 10 a 15 minutos!

"Será que poderia me dizer como os seus times de vendas e/ou marketing estão estruturados? Como eles trabalham?"

As pessoas adoram falar sobre o seu próprio negócio. É bem mais difícil começar um diálogo com uma pergunta do tipo: "Quais são os seus maiores desafios?", porque a pessoa ainda não conhece você e pode não se sentir à vontade para abrir o jogo logo de cara. Comece com uma pergunta fácil de ser respondida, por exemplo: "Como funciona a sua área de vendas?".

Fazer perguntas abertas encoraja a pessoa a falar e funciona como uma espécie de aquecimento para, a seguir, discutirem a respeito dos desafios que ela enfrenta. Além disso, compartilhar com você como o negócio dela está estruturado e de que maneira funciona não exigirá muito esforço (não precisa pensar muito) e lhe dará uma ótima noção do contexto.

> "Estou fazendo uma pesquisa sobre a sua empresa para ver se nos enquadramos ou não..."

Essa é uma excelente pergunta de *follow-up* para fazer logo após você dizer, de forma direta e honesta, por que está ligando.

> "Se você estivesse no meu lugar, como abordaria a sua empresa?"

Use essa pergunta quando fizer contato com uma pessoa que demonstra interesse em ajudá-lo, mas não é a mais adequada para tratar do assunto que você deseja.

> "Você está com a sua agenda em mãos (ou fácil de acessar)?"

Evite agendar compromissos por e-mail, seja para você mesmo ou um colega. Tente fazê-lo durante a própria ligação. ■

OS SEIS ERROS MAIS COMUNS COMETIDOS PELOS SDRs

1. Esperar resultados muito rápidos
Quando se está prospectando contas que têm muitas pessoas participando do processo decisório, pode levar de duas a quatro semanas – ou até mais tempo que isso – apenas para gerar uma nova oportunidade de negócio qualificada.

2. Escrever e-mails muito longos
E-mails longos podem ser difíceis de compreender e depurar, especialmente hoje em dia, quando a maioria das pessoas os lê no celular. Uma pessoa poderia responder facilmente ao seu e-mail pelo celular? Procure fazer e-mails simples, com uma única pergunta e que seja fácil de responder.

Também por e-mail ou telefone, deixe claro por que está fazendo aquele contato, e seja honesto. Não tente usar artifícios. A verdade é a forma mais persuasiva de marketing.

3. Ser abrangente em vez de profundo
Abordar 100 contas uma única vez, em vez de 10 vezes apenas 10 contas.

4. Desistir rápido demais dos clientes com perfil ideal
Não desista de uma conta até que compreenda realmente se ela se enquadra ou não no perfil ideal de cliente estabelecido pela sua empresa. Não aceite um "não" como resposta, até que

o escute do verdadeiro tomador de decisão. Seja persistente, sem ser chato.

5 **Demorar para desistir dos clientes sem perfil**
Ter persistência é importante, mas é uma faca de dois gumes. Ser persistente com clientes que não se enquadram no perfil ideal é pura perda de tempo.

6 **Avaliar indicadores de atividade em vez de processos**
Medir o número de ligações realizadas por dia é muito menos útil do que acompanhar, por exemplo, quantas "conversas" por dia ou agendamentos por semana. Como funciona o seu processo, passo a passo? Meça os resultados que comprovadamente levam à receita, em vez de ter um monte de atividades como objetivo. ∎

GESTÃO DE TEMPO E FOCO: OS "TRÊS OBJETIVOS DO DIA"

Uma das minhas técnicas preferidas de gestão do tempo, que funciona tanto para vendedores quanto para CEOs, é a definição de três a cinco objetivos para o dia seguinte. Eu costumo fazer isso na noite anterior.

Pergunte a si mesmo: "Se eu tivesse que escolher três coisas para concluir hoje, quais seriam?". É mais difícil do que se pensa conseguir concluir três coisas importantes em um dia.

Aqui vão alguns exemplos de objetivos de venda para o dia:

- Faça e registre cinco conversas por telefone.
- Envie uma campanha por e-mail para 150 contatos.
- Qualifique uma nova oportunidade de venda.
- Agende duas conversas de sondagem.
- Faça um plano de trabalho para o mês seguinte (objetivos, atividades, métodos, etc.).

A ideia é muito simples, e é importante que continue assim. Se quiser uma ferramenta on-line que ajude você a priorizar os objetivos diários, semanais, mensais e trimestrais, dê uma olhada no site teamly.com. ■

UM DIA NA VIDA DE UM SDR

De que forma você está organizando o seu dia e o do seu time de vendas? A seguir, apresento um exemplo de como seria um dia ideal de um SDR. Siga esse mesmo raciocínio e crie seus próprios modelos de dia ideal para outras funções na sua empresa.

Figura 7.1 - Exemplo de rotina diária de um SDR[5]

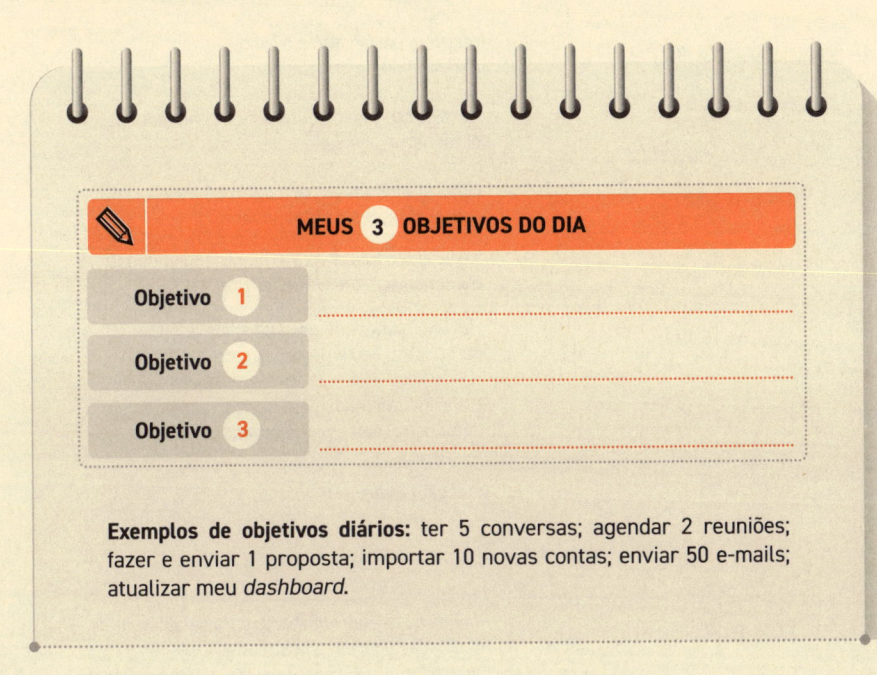

MEUS 3 OBJETIVOS DO DIA

Objetivo 1

Objetivo 2

Objetivo 3

Exemplos de objetivos diários: ter 5 conversas; agendar 2 reuniões; fazer e enviar 1 proposta; importar 10 novas contas; enviar 50 e-mails; atualizar meu *dashboard*.

---

[5] Os horários da agenda foram adaptados à realidade brasileira, considerando o expediente típico de trabalho das 08:00 às 18:00 e a jornada de trabalho diária de 8 horas, com um intervalo de 2 horas para o almoço. Esses horários poderão variar de uma empresa para outra. [N.E]

AGENDA DO DIA

HORÁRIO	TEMPO	ATIVIDADE
08:00 às 08:15	15 min.	Planeje o dia: o que você quer alcançar hoje?
08:15 às 09:00	45 min.	Gerencie as respostas de e-mails mais "quentes" / tarefas.
09:00 às 09:15	15 min.	Intervalo (pessoal)
09:15 às 09:30	15 min.	Planeje a sessão de ligações: contas e objetivos.
09:30 às 11:30	2 horas	Sessão de ligações: o objetivo é ter 5 conversas.
11:30 às 13:30	2 horas	Intervalo para o almoço (pode variar dependendo da empresa)
13:30 às 14:00	30 min.	Horário bloqueado para ligações agendadas, demonstrações e planejamento.
14:00 às 14:30	30 min.	Horário bloqueado para ligações agendadas, demonstrações e planejamento.
14:30 às 15:00	30 min.	Horário bloqueado para ligações agendadas, demonstrações e planejamento.
15:00 às 15:30	30 min.	Horário bloqueado para ligações agendadas, demonstrações e planejamento.
15:30 às 16:00	30 min.	Horário bloqueado para ligações agendadas, demonstrações e planejamento.
16:00 às 16:30	30 min.	Intervalo (pessoal)
16:30 às 17:30	1 hora	Prepare para enviar e-mails em massa.
17:30 às 17:50	20 min.	Revise as tarefas em aberto para se certificar de que nada importante ficou sem ser resolvido.
17:50 às 18:00	10 min.	Envie 50 e-mails em massa.

A primeira metade do dia é usada basicamente para fazer *follow-up* com os *leads* (novos e antigos); entretanto, os 5 minutos mais importantes são o início, quando o SDR define os 3 objetivos do dia.

Em suma, os dias mais produtivos começam com a definição dos objetivos prioritários, *follow-up* dos *leads* (coisas importantes e urgentes), e uma tarde fazendo ligações e preparando o futuro (coisas importantes, mas não urgentes).

Após o almoço, a agenda fica bloqueada para focar as ligações agendadas, demonstrações e planejamento. Por último, após as 18h, o SDR envia uma campanha por e-mail, de forma a obter novas respostas em sua caixa postal, pela manhã.

▲ MANTENDO A MOTIVAÇÃO

Por último, para manter o seu time de vendas motivado e cheio de energia, é importante que eles façam uma pausa a cada 90 minutos, tenham um almoço caprichado com seus colegas e se comprometam com um horário para encerrar as atividades (às 18h, por exemplo). Uma carga excessiva de trabalho pode trazer resultados a curto prazo, mas, com o tempo, isso mina a motivação do seu pessoal e produz taxas elevadas de *turnover*. ■

EXEMPLO DE PAINEL DE CONTROLE (*DASHBOARD*) NO *SOFTWARE* SALESFORCE.COM

▲ **EXEMPLO DE *DASHBOARD* USADO NA GESTÃO DE TIMES DE VENDAS**

Eu recomendo aos meus clientes que estruturem o *dashboard* do time de vendas em três colunas, da seguinte maneira:

- **À esquerda:** atividades em andamento do mês atual.

- **No centro:** resultados e contratos fechados do mês atual.

- **À direita:** resultados acumulados desde o início do ano até a data atual.

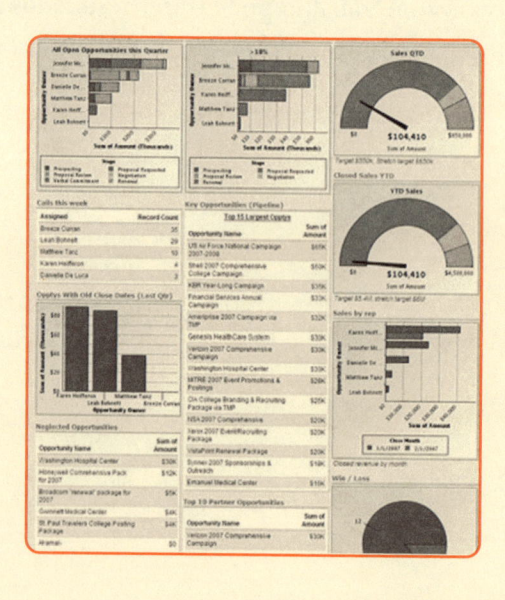

Figura 7.2 - Exemplo de tela do Salesforce.com com a estrutura sugerida[6]

---

[6] A imagem foi desfocada intencionalmente para manter o anonimato da empresa.

◢ EXEMPLO DE *DASHBOARD* USADO PELOS SDRS

Cada SDR deve elaborar seu próprio *dashboard* de forma que possa visualizar rapidamente a situação de seus próprios negócios e atividades, e facilitar o trabalho do seu gestor.

A seguir, apresento uma sugestão de escopo de *dashboard* para um SDR, seguindo a mesma lógica das três colunas do *dashboard* para o time, porém com três tipos de indicadores em cada um deles, formando uma matriz 3x3.

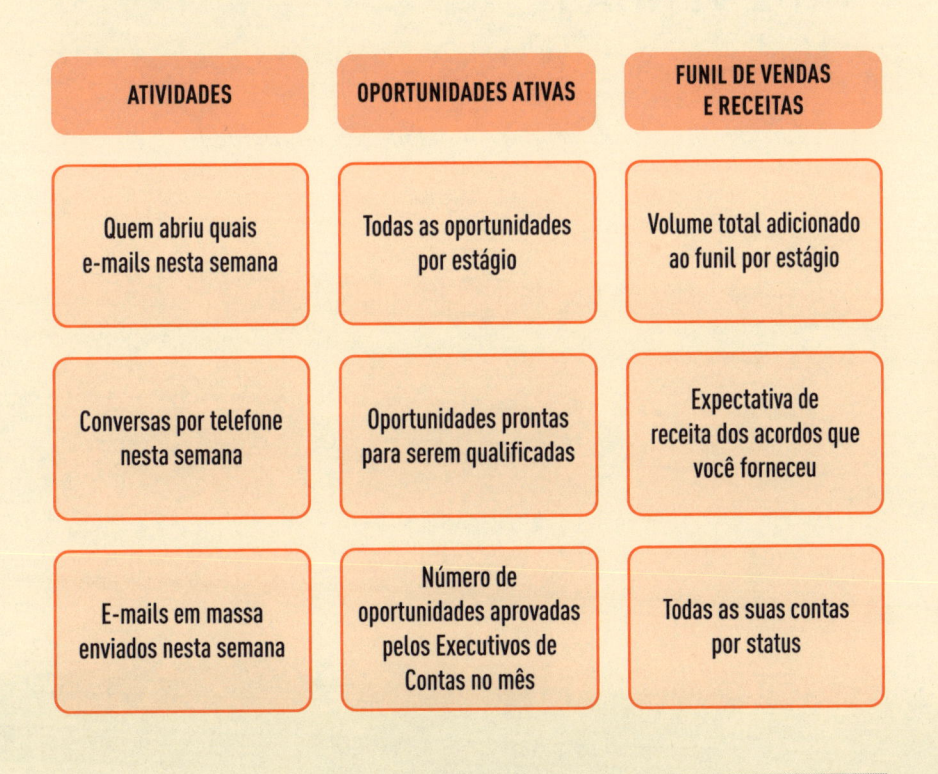

ATIVIDADES	OPORTUNIDADES ATIVAS	FUNIL DE VENDAS E RECEITAS
Quem abriu quais e-mails nesta semana	Todas as oportunidades por estágio	Volume total adicionado ao funil por estágio
Conversas por telefone nesta semana	Oportunidades prontas para serem qualificadas	Expectativa de receita dos acordos que você forneceu
E-mails em massa enviados nesta semana	Número de oportunidades aprovadas pelos Executivos de Contas no mês	Todas as suas contas por status

Figura 7.3 - Exemplo dos componentes do *dashboard* de um SDR

Cada time é único e cada SDR também, portanto, utilize essa matriz apenas como um ponto de partida para construir uma que faça sentido para a sua empresa e para o seu time. ◼

CAPÍTULO 8

AS MELHORES PRÁTICAS DE VENDAS

Encurte os ciclos de vendas e aumente a produtividade.

VENDER PARA O SUCESSO

Vender usando a metodologia de Receita Previsível é vender para o sucesso. É sobre como contratar e treinar vendedores que estejam totalmente comprometidos com a visão e com os valores da empresa. É fazer com que os novos clientes entrem em contato com essa visão e sejam bem-sucedidos e, como consequência, gerem milhões em receitas.

Esses vendedores não vendem para clientes que possam parecer inadequados no longo prazo. Eles trabalham com outros grandes vendedores que se ajudam, aprendendo e melhorando a cada dia. A remuneração é um ponto a considerar, mas não é o mais importante.

O MODELO DE VENDA TRADICIONAL

Pessoas da velha escola de vendas costumam fechar um negócio "a qualquer custo". São aquele tipo que vende até avião caindo, como se diz por aí. Competem entre si de forma predatória, e muitas vezes desleal. Vendem a clientes que não têm perfil. Trabalham quase sempre só pelo dinheiro. Essas pessoas ignoram duas etapas cruciais da venda:

- Criar um plano de sucesso antes de fechar um contrato.
- Focar o sucesso do cliente após o fechamento do negócio.

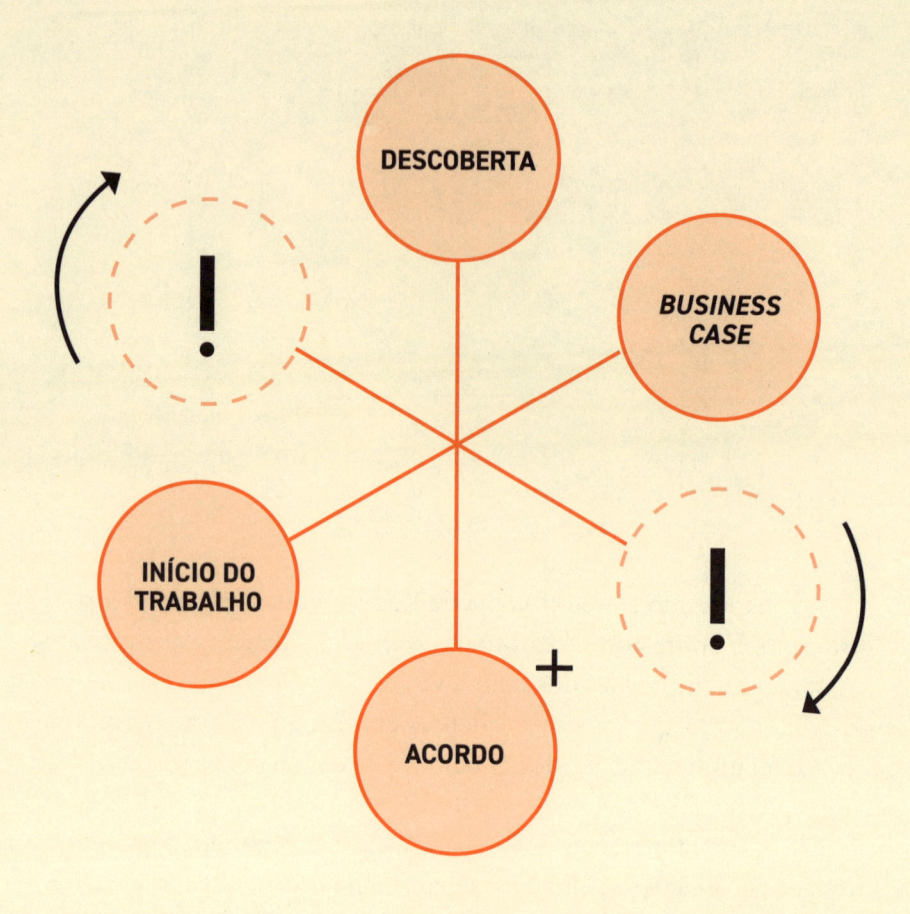

Figura 8.1 - Modelo de venda tradicional

▲ O QUE TORNA O FECHAMENTO DO NEGÓCIO TÃO ARTIFICIAL?

A maioria dos vendedores é paga para fazer vendas. A maioria é pressionada e gerenciada pelo medo. Aliás, o medo é uma das ferramentas de gestão de vendas mais usadas pelos gestores dessa área.

Quando alguém é pago para fazer algo e tem um gerente ou supervisor fungando no seu cangote, isso acaba interferindo no seu comportamento. Toda a empatia entre vendedor e cliente é perdida quando

> ❝ Toda a empatia entre vendedor e cliente é **perdida** quando ele tenta **empurrar** um produto ou serviço goela abaixo.

ele tenta empurrar um produto ou serviço goela abaixo. Acredite, gestores preparados são capazes de ajudar seus vendedores a evitar comportamentos inadequados, orientando-os sobre como fazer a coisa certa e não intimidando-os, o que só faz o problema aumentar.

Será que os resultados que você obtém no curto prazo, pressionando o time de vendas, estão compensando a perda da confiança do cliente no vendedor e o retorno a longo prazo?

▲ O QUE REALMENTE IMPORTA PARA OS CLIENTES?

Os clientes não estão nem aí para as suas metas e indicadores. Estão mais preocupados em resolver seus próprios problemas e fazer suas empresas crescerem. É muito fácil perder essa noção quando estamos no meio de um ciclo de vendas e temos metas para bater.

Provavelmente você já sabe disso, mas será que percebe quando está nesta situação? Será que você, ou o seu time, não estão vendendo de forma artificial?

▲ VENDA SOMENTE APÓS CRIAR UM "PLANO DE SUCESSO" PARA O CLIENTE

Os clientes têm sua própria visão do que é sucesso para eles, caso adquiram e utilizem seus produtos. Tente captar essa visão, seja ela qual for. Ajude-os a defini-la. O sucesso do cliente não acontece quando ele compra o seu produto ou serviço, mas sim quando os benefícios podem ser percebidos pelo impacto causado no negócio.

▲ FAÇA AS VENDAS SEREM PUXADAS EM VEZ DE EMPURRADAS

Uma das grandes vantagens em se criar um plano de sucesso para o cliente é inverter o fluxo do ciclo de vendas, ou seja, em vez de o vendedor empurrar o cliente rumo ao fechamento, é o cliente que o puxa, como se o estivesse sugando. Empurrar os clientes ao longo do ciclo de vendas normalmente é menos produtivo e pode levá-lo a fechar negócios com clientes fora do perfil que, no longo prazo, acabam não compensando todo o esforço empreendido.

▲ NÃO SE PREOCUPE MUITO COM O FECHAMENTO DA VENDA

Uma das técnicas que mais funcionam é não se preocupar demais com o fechamento. Essa preocupação excessiva pode deixar transparecer aos clientes que você está mais preocupado em receber sua comissão, ou em ficar livre do seu gerente, do que em solucionar o problema dele.

Essa é a ironia em focar demais o fechamento: quanto maior a preocupação, menores as chances de ele acontecer.

◢ O FECHAMENTO SE TORNA UMA ETAPA NATURAL NO ALCANCE DA VISÃO

Se você construiu, com o cliente, uma visão comum sobre como sua empresa o ajudará a ter sucesso, e ele confia em você, o fechamento virá como uma etapa natural e lógica no caminho para se chegar ao "sonho idealizado". É possível tirar do fechamento esse aspecto meio robotizado e torná-lo mais leve e natural.

Dois passos para ajudar o seu time a vender pensando no sucesso do cliente

---

▶ 1º PASSO

Insira, antes da etapa de fechamento, um passo denominado "plano de sucesso". Esse plano deve ser simples, quase uma visão, que resuma os principais passos do processo de implementação que conduzirão o cliente ao sucesso. É importante definir o que é sucesso para o cliente. Então defina algumas metas e as responsabilidades, tanto suas quanto do cliente.

Quando me refiro a esse "plano", pode ser algo como um e-mail com cerca de meia dúzia de itens acordados com o cliente. Deve ser simples o suficiente para que qualquer um consiga rapidamente compreender sua essência e visão. Não crie planos complexos!

Quanto mais os clientes conseguirem visualizar seu próprio sucesso, mais rápido vão querer fechar um acordo por eles mesmos.

▶ 2º PASSO

Quais são seus planos para que o cliente tenha sucesso de forma contínua? Existe alguma função na sua empresa dedicada a tornar os clientes "bem-sucedidos" no uso do seu produto ou serviço? É muito fácil transferir toda a responsabilidade pelo sucesso no uso de um produto ou serviço para o cliente, mas você é tão responsável quanto ele. Clientes satisfeitos ajudam o seu negócio a crescer. É a coisa mais certa e rentável a se fazer. ◾

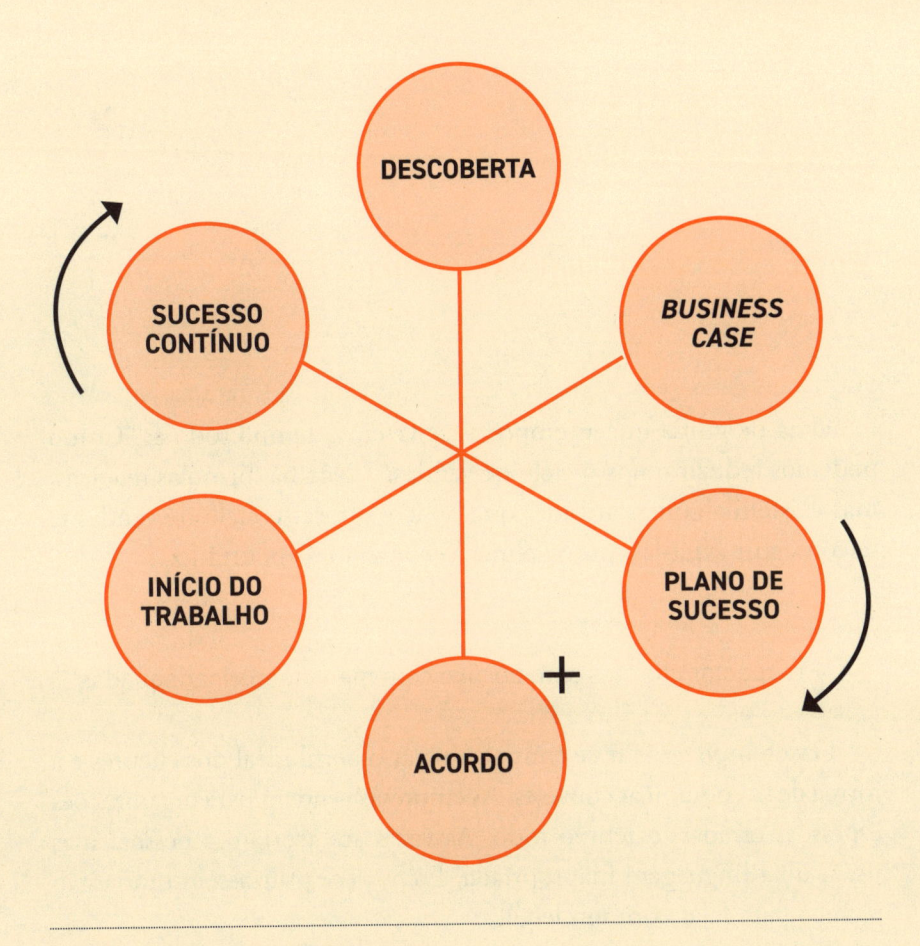

Figura 8.2 - Modelo de venda bem-sucedida

NOVE COMPORTAMENTOS QUE PODEM ALONGAR O SEU CICLO DE VENDAS

Uma pergunta que as empresas se fazem o tempo todo é: "Como podemos reduzir o nosso ciclo de vendas?". Não há fórmulas mágicas, mas existem algumas atitudes que podem atrasar o ciclo de vendas e, se conseguir evitá-las, provavelmente conseguirá encurtá-lo.

1 Prospectar clientes sem perfil e com mensagens inadequadas

Leva tempo até que se consiga ajustar o perfil ideal dos clientes e a forma de se comunicar com eles. As empresas vendem para organizações e pessoas erradas, o tempo todo. Às vezes até acertam a pessoa, mas usam uma linguagem inapropriada. É como se utilizassem um jargão técnico para falar com um leigo.

Todo mundo quer ter cada vez mais clientes – é da natureza humana –, e toda vez que alguém demonstra interesse pelo seu produto ou serviço, um certo desespero lhe acomete.

Escolha um nicho e fique rico. Se os seus esforços de marketing e vendas não estão focados nos clientes com perfil ideal, provavelmente você está perdendo tempo e energia tentando vender o seu produto ou serviço para quem não o quer ou não precisa dele.

2 Não ter um processo de vendas estabelecido

Você tem um processo de vendas estabelecido na sua empresa? Se a resposta for não, trate de criar um. Qualquer processo é melhor do que nenhum. Sempre é possível melhorar um processo, desde que ele exista. Portanto, se a venda ocorre de forma aleatória na sua empresa, sem qualquer processo ou método, jamais conseguirá aprimorá-la.

3 Ter um ótimo processo de vendas, mas não usá-lo

Digamos que você já tenha um processo de vendas bem desenhado, mas, na prática, ele não está funcionando como deveria. Será que os seus vendedores estão seguindo o processo? Ele é simples? Processos complexos podem ter a sua adesão reduzida. Como ele se comporta na prática? Você teve o cuidado de adaptá-lo ao seu negócio? Qual foi a última vez que você se sentou com um vendedor ou com todo o time de vendas para saber o que eles realmente fazem no dia a dia, e o quão eficaz são essas medidas?

4 Vender o seu produto em vez de resolver o problema do cliente

Seus vendedores estão apenas empurrando os produtos nos clientes ou estão provando a eles que são capazes de ajudá-los a resolver seus problemas? Seus vendedores estão descartando clientes o suficiente ou são do tipo que não perdem uma venda? Eles estão conseguindo construir uma visão conjunta com o cliente, que faça com que o seu produto seja puxado, em vez de empurrado, rumo a um acordo?

5 Tentar vender nos níveis mais baixos

Descubra rápido quem tem influência e poder de decisão, quem está envolvido no processo de compra. Eu sei que isso não é nenhuma novidade, mas a maioria dos vendedores não faz o dever de casa! Em geral, eles têm receio em lidar com o pessoal de nível mais alto na hierarquia da empresa e acabarem perdendo o negócio. Vendedores tendem a dar mais atenção para pessoas que estão mais dispostas a gastar o seu tempo com eles.

- Nas reuniões de vendas para discutir os negócios em andamento, ou nas sessões de *coaching* individual, exija dos vendedores esse levantamento das pessoas que decidem e influenciam na compra.
- Se os vendedores não souberem quem são os tomadores de decisão, como vão ajudar o seu contato na empresa a vender a ideia para eles? Nunca suponha que o seu contato na empresa saiba o suficiente sobre o seu produto ou serviço e sobre como vendê-lo.
- Quando estiver fazendo vendas *outbound*, comece por cima, de um a dois níveis a mais que o tomador de decisão que você quer atingir.
- Faça exercícios de simulação dentro da sua empresa, com pessoas que possam pensar e falar como se fossem os tomadores de decisão com os quais os vendedores irão se deparar. Isso os ajudará a ter maior confiança e a ter conversas melhores com o pessoal de nível sênior.
- Como você poderia posicionar o seu produto e o marketing para atingir esse pessoal de nível mais alto?

6 Falta de compreensão do processo de compra do cliente

Pergunte aos clientes como funciona o processo de compra na empresa deles. Toda empresa tem lá suas peculiaridades. Não tenha receio de perguntar. Quanto melhor for a sua compreensão sobre o processo de compra do cliente, mais fácil será descobrir se o seu produto ou serviço pode ou não ajudá-lo.

Se o ciclo de vendas típico do mercado em que você atua é de 6 meses, não há motivo para ficar impaciente já no terceiro mês.

- "Como é o processo normal para vocês avaliarem e comprarem esse tipo de produto?"
- "Em quanto tempo você acredita que teremos uma decisão sobre a compra (30, 60, 90 dias)?"
- "O que precisamos fazer para fechar esse negócio?" (Mais à frente no ciclo de vendas.)

Quando você faz esse tipo de pergunta, mais ousada, a questão não é o que você pergunta, mas como o faz. Sempre questione de forma segura e seja o mais natural possível. Jamais deixe transparecer qualquer insegurança.

7 Não se preocupar com o negócio do cliente

Será que você realmente se importa em melhorar o negócio do cliente, ou quer simplesmente vender o seu produto ou serviço? Os melhores profissionais de vendas preocupam-se, em primeiro lugar, em tornar seus clientes bem-sucedidos. Como ajudar seus clientes, mesmo que ainda não haja uma relação comercial entre vocês? Que recursos, notícias, referências, conselhos ou outras coisas de valor você poderia compartilhar com eles? Focar o negócio do cliente estabelece uma relação de confiança, o que acaba trazendo mais vendas.

8 Falar em vez de mostrar

Se você ainda está tentando captar uma conta, mas está encontrando dificuldades, experimente dar a eles algo que seja de valor, mas sem cobrar por isso. Pode ser uma versão *trial* do seu programa ou outra coisa qualquer, mas precisa ter valor para o cliente. Comprovar que você é bom no que faz tem muito mais efeito do que discursos vazios e monótonos. Mas, cuidado para não encher o cliente de coisas que não têm nada a ver com ele. Você deve sempre adequar essas evidências a necessidades e aos problemas que ele enfrenta. Caso contrário, será perda de tempo.

9 Não abrir mão dos clientes fora do perfil ideal

Por desespero, pressão ou falta de clareza sobre o perfil ideal de cliente, muitos vendedores acabam fracassando porque insistem em contas e oportunidades sem perfil, que não levam a nada, simplesmente porque parece mais fácil continuar trabalhando nelas do que começar o trabalho em uma nova conta. Mensalmente, você deve fazer uma espécie de faxina nas oportunidades de venda. Analise cada uma delas, elimine as ruins e abra espaço para novas oportunidades qualificadas. ■

TENHA OBSESSÃO PELO PROCESSO DE DECISÃO E NÃO PELO TOMADOR DE DECISÃO

No passado, o discurso de vendas girava em torno do tomador de decisão. As outras pessoas que participavam do processo de compra não recebiam qualquer atenção. Mas isso mudou.

Hoje em dia, por conta da falta de tempo desses executivos e porque o ambiente organizacional está mais colaborativo, mais e mais profissionais estão usando outros membros do time para ajudá-los a tomar decisões de compra.

Antes, quando um executivo direcionava um vendedor para conversar com um subordinado era porque, em geral, não acreditava que o que seria apresentado era importante ou tivesse valor.

A maioria dos vendedores era treinada para driblar esse tipo de objeção e conseguir, de qualquer maneira, uma reunião com quem tomava a decisão.

Agora, o processo de decisão é mais importante que o decisor em si. Evite perguntas do tipo:

- "Quem é o tomador de decisão?"
- "Quem é que paga a conta?"

Faça perguntas como:

- "Como você tem avaliado produtos ou serviços similares?"
- "Como funciona o processo de compra?"
- "Quem está envolvido na tomada de decisão?"
- "Como a decisão será tomada?"

- "Como é o processo de aprovação e liberação do orçamento?"

Portanto, se um tomador de decisão encaminhar você para alguém do time dele para continuar a atendê-lo, não é mais sinal de descaso ou falta de interesse, mas sim um bom caminho para você conquistar uma nova conta.

Então, devo ignorar os tomadores de decisão no começo? Não!

Em outras palavras, os vendedores não devem se abster de construir um relacionamento com os tomadores de decisão, mas não precisam ter tanta urgência em fazer isso logo no início.

Chegar aos tomadores de decisão é menos importante? Não!

Primeiro, monte seu time de aliados internos e construa o *business case*. Assim, você estará mais preparado quando se defrontar com quem realmente tomará a decisão.

Você até pode iniciar a construção de um relacionamento com o decisor logo no início, mas não venda nada para ele até que consiga conquistar os influenciadores – ou até que eles concordem com a sua proposta de valor. Preocupe-se em criar uma reputação de credibilidade e um certo entendimento sobre a empresa antes.

Tentar apresentar a sua proposta para o tomador de decisão sem que os influenciadores a tenham comprado pode enfraquecer o seu discurso, e fazê-lo parecer um daqueles vendedores picaretas.

E, finalmente, quando um vendedor não compreende o processo de decisão de um cliente – o que é mais comum do que se pensa –, há menor clareza sobre o tempo de duração do ciclo de vendas, sobre a probabilidade de fechamento de um contrato e sobre as objeções tácitas.

Vendedores com pouco tempo acabam atropelando o processo e fazendo poucas perguntas, ou questionamentos não tão relevantes, sobre o funcionamento do processo de compra do cliente.

Se você fosse um vendedor, eu lhe perguntaria: com que cuidado você mapeou o processo de compra dos cinco principais negócios que fechou recentemente?

E se você fosse o Gestor de Vendas e se sentasse com o seu time para discutir sobre as melhores oportunidades de negócio nas quais eles estão trabalhando? Não me refiro apenas ao status do cliente no funil de vendas, mas sobre o processo de tomada de decisão deles. O quanto você realmente acredita que seus vendedores conhecem sobre esse processo? ■

NOVE PASSOS PARA CRIAR DEMONSTRAÇÕES QUE MAXIMIZEM AS TAXAS DE CONVERSÃO

Demonstrações (*free trials*) são uma espécie de amostra grátis que é ofertada aos clientes em fase de prospecção, para que possam experimentar o produto ou serviço que você vende. Os passos que vou sugerir foram elaborados para negócios em que o SDR coordena e negocia essa "amostra grátis" como parte do ciclo de vendas. Entretanto, esses mesmos princípios são válidos para negócios on-line que não utilizem pessoas no processo de venda.

▶ **1º PASSO:** Elabore a demonstração com o cliente e ajude-o a implementá-la

Não ofereça uma demonstração ao cliente de qualquer forma. Pense em como pode envolvê-lo nesse processo para que ele realmente queira passar por isso. Tente definir claramente o que será interpretado como um resultado de sucesso dessa demonstração. Ajude-o, dentro do possível, a executar essa demonstração dentro da empresa dele. Enfim, ajude-o a se ajudar.

▶ **2º PASSO:** Esforce-se para compreender quais são as reais necessidades do cliente antes de começar

Pode parecer estranho, mas a maioria dos vendedores está tão ansiosa para passar logo para a fase de demonstração, que acaba passando batido sobre as reais necessidades dos clientes. Em muitas vezes, os clientes não sabem exatamente o que querem. Isso acontece, principalmente, quando há muitos influenciadores e usuários envolvidos no processo de compra. Sem fazer o dever de casa, dificilmente você conseguirá compreender os desafios e desejos do cliente e fazer uma demonstração bem-sucedida.

➡ **3º PASSO:** Combine com o cliente em que parte do processo de compra a demonstração deve entrar

A etapa de demonstração é apenas um dos estágios de um longo processo de compra – espero que não tão longo assim. E se a demonstração for bem-sucedida, o que acontece a seguir? Responda a essa pergunta antes de iniciar a demonstração.

➡ **4º PASSO:** É melhor cuidar de alguns poucos problemas – e talvez de um único, em vez de tentar resolver todos os problemas, de todo mundo

A demonstração só terá sucesso se, de fato, agregar valor para o cliente e ele perceber isso. Hoje em dia, ninguém tem tempo a perder, então escolha a sua batalha. Em quais áreas você acredita que conseguiria causar o maior impacto? Qual seria a forma mais fácil de comprovar o sucesso da sua oferta? Conquiste alguns resultados de forma rápida e, ao longo do tempo, vá acrescentando outros desafios. Se tivesse que escolher no máximo três coisas para resolver, quais seriam?

➡ **5º PASSO:** Defina claramente com o cliente o que significa uma demonstração bem-sucedida

Como o cliente – incluindo o tomador de decisão – saberá se a demonstração do seu produto ou serviço foi bem-sucedida? Defina isso com o cliente antes de iniciá-la. Não tenha receio de perguntar ao cliente coisas do tipo:

▸ O que você consideraria como uma demonstração bem-sucedida?

▸ O que você espera que nós dois alcancemos com essa demonstração, antes de decidir se avança ou não conosco nesse processo?

➡ **6º PASSO:** Crie algumas metas para a demonstração

Elabore um pequeno plano com algumas metas a serem atingidas. Alcançar essas metas cria um efeito favorável e aumenta a percepção de valor da demonstração.

Exemplo - Em uma semana, a demonstração deve ser capaz de:

- Criar 3 *dashboards*.
- Gerar 50 *leads*.

Não tenha medo de mudar os prazos e as metas. Os clientes sempre têm alguma nova meta a ser alcançada que pode servir para esse exercício.

7º PASSO: Obtenha o compromisso do cliente com a demonstração

Só porque um cliente concorda que você faça uma demonstração não significa que ele vá fazê-la – especialmente se a pessoa com quem você está lidando ainda não vendeu a ideia internamente. Alinhe as expectativas com o cliente sobre o prazo e o esforço necessários para que a demonstração seja bem-sucedida. Estabeleça, com ele, uma agenda com prazos, atividades e reuniões. Use a frase a seguir: "Vamos agendar isso agora, para não termos que nos preocupar com isso mais para frente".

8º PASSO: Simplifique o processo de demonstração

Como você pode tornar o processo de demonstração o mais simples e fácil para o seu cliente? Você tem um passo a passo, orientações ou treinamento que pudesse fornecer a eles? Torne o processo tão simples que eles não tenham que pensar muito. A paralisia vem acompanhada da complexidade. Torne a demonstração o mais simples possível para que eles consigam realizá-la com sucesso.

9º PASSO: Nivele as expectativas

O sucesso vem das expectativas. Você superestimou os resultados e entregou menos do que prometeu? Ou vice-versa? Expectativas são poderosíssimas. Elas podem construir ou destruir a sua credibilidade com o cliente, e significar a diferença entre fechar ou não uma venda. ■

UM PROCESSO DE VENDAS DE 3 HORAS E 15 MINUTOS

Tão importante quanto saber a duração total do ciclo de vendas é medir quantas horas do tempo de cada SDR são consumidas durante esse ciclo. Como eles podem se tornar mais eficientes e eficazes para poderem gerenciar mais oportunidades de negócio e aumentar as taxas de conversão?

Muitos SDRs perdem tempo acionando de forma prematura alguns clientes cujo processo de decisão é mais lento. Veja o exemplo a seguir:

> *"Oi Bob, estou ligando pra saber se alguma coisa evoluiu desde o nosso último contato. Não mudou? Tudo bem, te ligo de novo em duas semanas."*

Nesse exemplo, provavelmente, Bob não é a pessoa com maior poder e influência para fazer as coisas avançarem. Não importa o quanto você seja persistente, nada acontecerá.

O processo de vendas de "3 horas e 15 minutos" que criei representa uma grande ajuda, especialmente nas etapas iniciais do ciclo de vendas, porque ajuda a qualificá-lo, a acessar os tomadores de decisão e a criar uma visão comum. Também é muito simples. Eu o desenvolvi quando comecei a dar consultoria, para diminuir o tempo gasto por ambas as partes, para identificar se deveriam, ou não, trabalhar juntas e quando isso aconteceria.

Os objetivos desse processo eram qualificar ou desqualificar de forma rápida, ter acesso às várias pessoas que tinham algum poder sobre a compra, e começar a criar uma visão em comum com o cliente.

Há três passos que totalizam as 3 horas e 15 minutos para que ambas as partes descubram se devem ou não prosseguir com o negócio e quando – mesmo que não seja hoje.

1º PASSO: Primeiro contato [15 minutos]
"Isso é perda de tempo?"

Imagine que você recebeu uma indicação para falar com alguém, ou teve uma resposta e começou a conversar com alguma pessoa. Você tem 15 minutos para descobrir se é ou não perda de tempo continuar falando com aquele contato.

Vamos ser realistas. Quase todo mundo está ocupado ou sobrecarregado com um milhão de coisas para fazer, e todos adorariam que você dissesse a eles o que fazer, em vez de terem que pensar. Explique ao cliente o seu processo para que ambos cheguem à conclusão se há ou não compatibilidade. Fale isso de forma que pareça um benefício para ele.

"Nós descobrimos que a melhor maneira de conduzir esse processo e saber se há ou não a possibilidade de trabalharmos juntos é, primeiro: conversar em maior profundidade com você e com quem mais você achar que é necessário para tratar deste assunto e, segundo: fazermos uma reunião, pessoalmente ou por telefone, com as pessoas do seu time que devem ser envolvidas para definir se, como e quando devemos trabalhar juntos."

2º PASSO: Ligação de qualificação (*discovery call*) [1 hora]
"Há compatibilidade?"

Essa costuma ser uma ligação com uma ou duas pessoas responsáveis por avaliar novos fornecedores. Em geral, querem ver se vão gostar ou não de você, se está se esforçando o bastante para que possam apresentá-lo a outras pessoas da empresa.

Mas, lembre-se: você também está avaliando se eles podem ou não se tornarem seus clientes. Se não tiverem perfil, não avance com o negócio.

O seu objetivo, caso haja compatibilidade de interesses, é conseguir agendar uma reunião de trabalho com o cliente, incluindo as pessoas-chave e os tomadores de decisão, para construírem uma visão conjunta do que pretendem alcançar com o projeto.

Pode parecer inviável fazer isso com todos os clientes, mas não é tão difícil assim. Quanto mais confiante você parecer em relação ao seu processo e confiante de que ele funciona para eles, mais eles tenderão a seguir suas orientações.

Será que eles querem você insistindo durante meses para saber se há ou não a possibilidade de virem a trabalhar juntos? Por que não ficam sabendo isso nesse momento?

3º PASSO: Reunião de trabalho [2 horas] "Devemos trabalhar juntos?"

Nessa reunião, vocês devem criar uma visão comum. Conduza a conversa no sentido de mostrar como eles serão bem-sucedidos com a aquisição ou uso do seu produto ou serviço. Tente extrair essa visão deles em vez de apresentá-la como se fosse sua.

Você pode usar slides para fazer uma breve introdução ou contextualização, mas mude rapidamente para um "quadro branco". Esse tipo de recurso permite que ambos criem algo em conjunto, como um time, em tempo real.

Se essa reunião for por telefone, é bem mais difícil. Mas, da mesma forma, tente estabelecer o contexto e os limites da discussão, e ajude-os a criar uma visão consistente e alcançável que os faça avançar. ∎

> **GRANDES VENDEDORES IDENTIFICAM AS REAIS NECESSIDADES QUE SE ESCONDEM ATRÁS DOS DESEJOS DOS CLIENTES**

Ao questionar os clientes sobre seus desafios e problemas, geralmente vão responder sobre aquilo que imaginam ou desejam como solução, e que se parece com um problema. Eles dizem: "Precisamos de um novo sistema de marketing", ou, "Nosso sistema de marketing apresenta muitos problemas". Nada disso é um problema real. É uma solução disfarçada de problema. O que eles estão dizendo na verdade é: "Nós queremos um novo sistema de marketing".

Aqui está um exemplo de como o simples fato de questionar "Por quê?" ou "Por que isso é importante?" pode levá-lo ao verdadeiro problema:

- *"Nós precisamos integrar o nosso sistema de vendas com o do financeiro."* Isso é a solução desejada, não um problema ou desafio. Por quê?

- *"Porque os nossos relatórios não são precisos."* Continua não sendo um problema. Por quê?

- *"Porque nosso gerente tem apresentado relatórios para o nosso Diretor Financeiro que apresentaram erros."*

Agora, sim! Temos um problema real: incapacidade para fazer planos efetivos e tomar decisão por causa de relatórios imprecisos.

O desafio de identificar esses problemas ocultos deve ser ensinado aos vendedores que não têm muita experiência nisso. Faça simulações regulares com o seu time de vendas para melhorar esse tipo de habilidade, fazendo o papel de advogado do diabo. Dê-lhes dezenas de soluções que pareçam problemas e os desafie a identificar os reais problemas que estão por trás dessas soluções. ■

OS CLIENTES DEVEM MERECER A PROPOSTA

O seu time de vendas é daquele tipo que espalha propostas e orçamentos por aí, como se estivesse panfletando no sinal? *"Ei, você aí, pegue uma proposta, por favor."*

Há um custo em sair apresentando propostas de forma prematura: os clientes não valorizarão o seu trabalho e o seu tempo, e você ainda perde a chance de deixá-los dar o próximo passo solicitando a proposta de você. Veja o exemplo a seguir:

> O seu time de vendas é daquele tipo que espalha **propostas** e **orçamentos** por aí, como se estivesse panfletando no sinal?

- Você faz uma demonstração.
- Ao final da demonstração, eles perguntam o preço ou pedem uma proposta.
- Você diz que enviará uma proposta com um e-mail de *follow-up*.
- Eles dizem: "Obrigado".
- Você envia o material.
- Você nunca mais tem notícias deles.

Enviar proposta de forma tão fácil não é bom para ninguém. Se você não está fechando pelo menos 50% das suas propostas, é porque está sendo muito fácil.

Da próxima vez que deparar com esse tipo de situação, e um cliente lhe perguntar sobre o preço do seu serviço ou lhe pedir uma proposta, não o faça até que tenha certeza de que ele realmente deseja isso. Diga que será um prazer, mas, para que isso aconteça, terá que conversar um pouco mais com ele e, talvez, com outras pessoas da empresa, para definir um escopo que realmente vá ao encontro do que ele precisa.

Se ele recusar, então provavelmente não seria um bom cliente ou você não conseguiu mostrar o seu valor nas ligações e demonstrações realizadas.

Se o cliente quiser o que você tem, agora você terá outra chance para gastar seu tempo com ele e com outras pessoas-chave; dessa forma, você poderá criar uma visão sobre como seu produto ou serviço pode solucionar os problemas específicos deles e, assim, será capaz de gerar uma proposta mais adequada.

Se, a princípio, esse tipo de abordagem o assusta, experimente para testar. Verá que a balança de poder deixa de pender para o lado do cliente e passa a ficar mais equilibrada entre as partes. ∎

> Vender usando a metodologia de **Receita Previsível** é vender para o sucesso. É sobre como **contratar** e **treinar** vendedores que estejam totalmente **comprometidos** com a **visão** e com os **valores** da empresa. É fazer com que os novos clientes entrem em contato com essa visão e sejam **bem-sucedidos** e, como consequência, gerem milhões em receitas.

PARTE 3

**Construindo e desenvolvendo
o seu time de vendas**

CAPÍTULO 9

OS FUNDAMENTOS DA MÁQUINA DE VENDAS

Especialize, especialize, especialize!

UMA VISÃO COMPLETAMENTE DIFERENTE PARA ESTRUTURAR O SEU TIME DE VENDAS

Eu tenho uma visão sobre empresas de tecnologia que já está funcionando em algumas empresas de serviços e manufatura.

As práticas de gestão da maioria dos negócios *business-to-business* da área de tecnologia e serviços são muito parecidas com as adotadas por antigos gigantes da indústria, como a General Motors, que foram suplantados por empresas mais enxutas, como a Toyota.

Quero ver mais modelos de gestão e vendas evoluírem para "mininegócios dentro de negócios maiores". Em vez de dividir os times exclusivamente por função – marketing, vendas, serviços, etc. –, os funcionários seriam agrupados em miniunidades de negócio, que incluiriam várias funções em um mesmo time.

Por exemplo... E se, em vez de ter uma equipe enorme, com vários times fazendo apenas vendas, ou apenas dando suporte, ou fazendo marketing, você misturasse todos esses funcionários em pequenas unidades de negócio, como acontece com as grandes redes de varejo, que são formadas de várias lojas menores?

Digamos que você seja uma empresa de *software*. E se criasse um time que cuidasse de um território exclusivo e reunisse todas as funções como: uma pessoa de marketing, duas de vendas internas, duas de vendas externas, um gerente de contas, duas pessoas de suporte, e um especialista técnico/engenheiro de vendas.

E se as pessoas nesse mininegócio pudessem aprender umas com as outras sobre as necessidades e experiências do cliente? Imagine um novo vendedor, que acaba de passar pelo treinamento básico em vendas, se sentando perto dos colegas do marketing ou do suporte.

Será que ele não seria mais eficiente nas vendas vendo como o pessoal do marketing e do suporte falam com os clientes, tratam os problemas, formam expectativas, obtêm mais indicações e fecham mais negócios?

O pessoal do marketing não aprenderia mais se ficasse próximo dos vendedores, assistindo-os fazerem o seu trabalho? E mais, não aprenderiam mais sobre os usos do produto pelos clientes, tendo o time de suporte ao seu lado?

E o time de suporte, não conseguiria identificar os problemas de forma mais rápida, antes de virem à tona, porque puderam observar o ciclo de vida do cliente desde o momento em que entraram no ciclo de vendas?

E se você medisse e recompensasse esses mininegócios baseando-se em métricas completamente alinhadas com as da empresa em geral, como receita, rentabilidade, e *Return on Investment* (ROI) desses mininegócios?

E se um dos membros desse time fosse uma espécie de miniCEO, que gerenciasse o time como se fosse o gerente de uma loja de varejo ou divisão, e fizesse a gestão das entradas e saídas desse mininegócio, cuidando das contratações, demissões, *coaching*, satisfação do cliente e vendas?

Imagine que tipo de funcionário, cheio de talentos, você poderia desenvolver dessa forma? Pessoas que realmente pudessem se tornar miniCEOs de seus mininegócios e que poderiam levá-lo a outro patamar, mais elevado, sem precisar da sua ajuda direta.

Sei que já deve haver alguém lá fora fazendo algo do gênero em empresas de tecnologia, ou serviços corporativos de alto valor agregado. Por isso, se você já faz algo nesse sentido, compartilhe sua história conosco e conte-nos o que está funcionando ou não. ■

VENDAS 1.0 (Promoção) X VENDAS 2.0 (Atração)

A internet mudou tudo, e tem causado grandes mudanças também no mundo dos negócios e das vendas.

No passado, as vendas funcionavam como se alguém ficasse cutucando você e dizendo: "E aí, vai comprar?", e pressionava você a primeira vez. "E aí, vai comprar?", e pressionava você pela segunda vez. "E aí, vai comprar?", e pressionava você de novo, até que... você acabava comprando, nem que fosse para ficar livre daquele vendedor.

> ❝ No passado, as vendas funcionavam como se alguém ficasse cutucando você e dizendo: **"E aí, vai comprar?"**.

PROMOÇÃO X **ATRAÇÃO**

PROMOÇÃO	ATRAÇÃO
EMPURRA	PUXA
TRABALHO	PRAZER
VENDER	SERVIR
MARKETING	BOCA A BOCA
POSICIONAMENTO	AUTOEXPRESSÃO
CONTROLE	AUTOGESTÃO

Figura 9.1 - Venda 1.0 (Promoção) X Venda 2.0 (Atração)

A venda de sucesso costumava se basear no controle e na manipulação do comprador. Era só fechar a venda, garantir o faturamento, sem se preocupar com o que acontecia dali para frente. As empresas podiam vender produtos de baixíssima qualidade e ainda assim se darem bem – pelo menos por um tempo. Antes do advento da internet, era difícil saber quantos clientes estavam satisfeitos ou não com aquela empresa ou produto. Agora, não é mais dessa forma: quando você faz coisas boas ou ruins, as pessoas ficam sabendo rapidamente.

Empresas de excelência sabem que, hoje, a venda é só a primeira etapa de uma longa jornada, que pode durar anos, para tornar os clientes bem-sucedidos.

Entretanto, falar em vendas por "atração" no mundo de hoje não significa adotar uma postura passiva diante dos clientes. Aliás, você precisa ser mais agressivo do que nunca, só que o tom é outro – em vez de empurrar os produtos, pensar só no dinheiro e até ter algum sucesso com isso, estamos falando em respeito, propósito e em realmente acrescentar algum valor aos *prospects*, mesmo antes de eles se tornarem clientes. Vendedores devem ser, digamos, agradavelmente persistentes. ∎

COLD CALLING 1.0	COLD CALLING 2.0
Todos em vendas fazem prospecção "Sempre feche a venda."	**Time de prospecção especializado** "É bom para ambas as partes?"
Mensurar as atividades (ex.: ligações diárias) *Cold calling*	**Mensurar os resultados** (ex.: *leads* qualificados) Pesquisa, ligações por indicação
Técnicas de vendas manipulativas "Eu odeio este trabalho!"	**Técnicas de vendas autênticas e íntegras** "Estou desenvolvendo uma habilidade valiosa."
Cartas e e-mails longos O sistema de vendas derruba a produtividade	**E-mails curtos e calorosos** O sistema de vendas alavanca a produtividade

Quadro 9.1 - O que mudou da *cold calling* 1.0 para a *cold calling* 2.0

CLIENTES SATISFEITOS GERAM CRESCIMENTO EXPONENCIAL

O que empresas bilionárias como a Salesforce.com, Facebook, Zappos e Google têm em comum? A confiança, o sucesso, a satisfação e o prazer dos clientes.

O que você está fazendo para que seus clientes sintam o mesmo? ∎

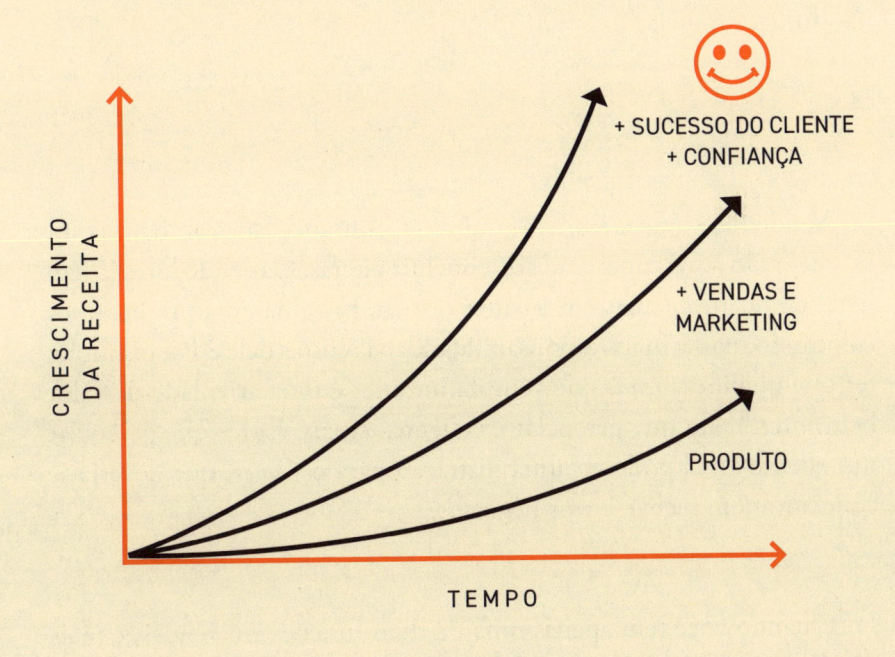

Figura 9.2 - Clientes satisfeitos geram crescimento exponencial

SEPARE AS QUATRO PRINCIPAIS FUNÇÕES DE VENDAS

Estruturar uma área de vendas produtiva e moderna requer um aumento do grau de especialização de seus profissionais. Um dos maiores inimigos da produtividade nessa área é o número de responsabilidades diferentes atribuídas a uma mesma função, como uma mesma pessoa cuidar dos *leads* do site, prospecção, fechamento e gestão de contas. Enfim, uma pessoa tentar fazer de tudo, definitivamente, não funciona mais.

◢ INEFICIÊNCIAS DO ACÚMULO DE RESPONSABILIDADES

Falta de foco

Vendedores que assumem muitas responsabilidades acabam comprometendo a sua capacidade de concluir tarefas. Os vendedores já têm fama de ter problemas em manter o foco, imagina então se ficarmos colocando mais e mais responsabilidades nas costas deles? Por exemplo, ter que qualificar *leads* que vêm da internet é uma atividade de valor bem inferior do que gerenciar os clientes atuais. E, ter que gerenciar um cliente atual pode ser uma distração para o *Closer*, que deveria se concentrar em fechar novos negócios.

Dificuldade para desenvolver talentos

Quando você tem apenas uma ou duas funções em vendas, é mais difícil contratar alguém e desenvolvê-lo. Como não há um plano de carreira estruturado, em que a pessoa possa evoluir passo a passo, os funcionários mais antigos acabam sempre sendo os melhores.

Falta de métricas claras

É mais difícil separar e monitorar as principais métricas, se todas as funções estão concentradas em uma mesma pessoa. Funções diferentes levam a maior facilidade na separação dos processos, que levam a melhores métricas.

Menor visibilidade dos problemas

Quando as coisas dão errado, o acúmulo de responsabilidades dificulta na identificação do que está acontecendo, tornando mais difícil isolar e resolver o problema.

▲ QUAIS SÃO AS QUATRO PRINCIPAIS FUNÇÕES DE VENDAS?

A seguir, apresento as quatro principais funções de vendas de uma empresa. À medida que a sua organização se tornar maior, podem surgir outros desdobramentos dessas funções.

Prospecção outbound *ou* cold calling 2.0

Conhecidos por SDRs (*Sales Development Reps*) ou desenvolvedores de novos negócios, esses profissionais prospectam novos clientes a partir de listas de *prospects* ou clientes inativos de forma ativa, ou seja, tentam "cavar" novos negócios. Formam um time dedicado e proativo de desenvolvimento de negócios. Vendedores e times de vendas *outbound* altamente eficientes não fecham contratos, mas criam e qualificam oportunidades de vendas e as passam aos Executivos de Contas.

Qualificação de leads *do* inbound

Normalmente chamados de MRRs (*Market Response Reps*), eles qualificam os *leads* que chegam pelo site, 0800 e outros canais digitais. As fontes de geração desse tipo de *lead* são os programas de marketing, SEO e propaganda boca a boca.

Executivos de Contas ou Closers

Esses são os caras que fecham os negócios, tiram o pedido ou contrato. Podem trabalhar interna ou externamente. Uma boa prática a ser adotada é: mesmo que a empresa possua a função de *Customer Success*, os Executivos de Contas devem estar próximos do cliente até que a implementação do produto ou serviço seja efetivada.

Gestão de Contas ou Customer Success

Essa função cuida da implementação do produto ou serviço no cliente, gerencia o cliente no dia a dia e cuida das renovações. Atualmente, os clientes estão mais sensíveis a problemas e dificuldades e, por essa razão, é importante ter alguém dedicado a isso, e não deve ser o vendedor (Executivo de Contas).

1 e 2
Desenvolvedores de vendas
(Qualificadores)

3
Executivo de Contas Fechadores de negócios
(*Closers*)

4
Customer Success Gestão de Contas
(Agricultores ou *farmers*)

1 SDRs Desenvolvedores de vendas *outbound*

2 MRRs Desenvolvedores de vendas *inbound*

Inbound leads (vindos do site, SEO, *webinars*, indicações) vão exclusivamente para a equipe de *inbound*

Oportunidades de negócio qualificadas

Novos clientes

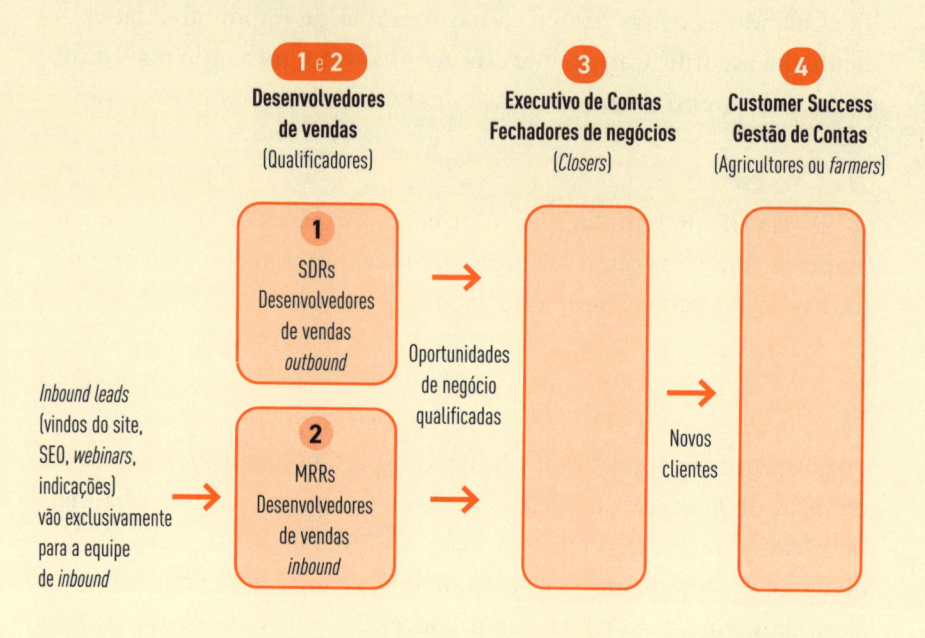

Figura 9.3 - As quatro principais funções especializadas de vendas

Se você ainda não iniciou o processo de especialização das funções de vendas na sua empresa, essa é a primeira coisa que deveria providenciar. É imperativo que faça isso, se quiser crescer.

▲ QUANDO SE ESPECIALIZAR?

Frequentemente escuto a frase: "Somos muito pequenos para especializar nosso time de vendas". Para começar, a especialização você precisa apenas de duas pessoas. A primeira é um Executivo de Contas, que faz a negociação e o fechamento de

> ❝ Se você ainda não iniciou o processo de especialização das funções de vendas na sua empresa, essa é a **primeira coisa** que deveria providenciar.

contratos, e a segunda pessoa que você deveria contratar é um SDR, que ficaria dedicado a gerar *leads* para o Executivo de Contas.

Outra regra que funciona é o princípio 80/20. Quando seus vendedores estiverem gastando mais que 20% do tempo em outra função que não a principal, crie uma nova função.

Por exemplo, se alguém, cuja principal função é gerar *leads* por meio de atividades *outbound*, começa a gastar mais que 20% do seu tempo qualificando *leads* vindos do *inbound*, é hora de pensar em ter outra pessoa para cuidar desses *leads*.

Da mesma forma, se um Executivo de Contas externo gasta mais de 20% do tempo prospectando novos clientes em vez de desenvolver negócios que estão no seu funil de vendas ou em clientes atuais, é hora de especializar e reduzir o fardo da prospecção.

Não importa quantos Executivos de Contas você tenha, se você está recebendo mais que uma centena de *leads* por mês, deveria contratar um MRR para qualificá-los e repassá-los a esses executivos. Se você já tem uns três ou quatro Executivos de Contas, não contrate outro. Considere a contratação de um SDR que possa dedicar 100% do seu tempo para alimentar os Executivos de Contas com *leads* qualificados.

▲ APRESENTAÇÕES ON-LINE

Você pode ver algumas apresentações de slides sobre gestão de *leads inbound*, *cold calling 2.0* e muito mais no site www.ReceitaPrevisivel.com. ■

NOVE FUNDAMENTOS PARA CONSTRUIR UMA MÁQUINA DE VENDAS

A maior parte deste livro trata sobre "o que fazer" para conseguir gerar uma receita previsível usando uma máquina de vendas. No entanto, saber o "como fazer" merece a mesma importância.

A seguir, apresento os nove fundamentos para a construção de sua máquina de vendas, para serem aplicados no dia a dia e que tornarão seu esforço mais efetivo.

1 Seja paciente

Construir uma máquina de vendas capaz de gerar receitas previsíveis pode levar de 4 a 12 meses, ou até mais, dependendo do estado atual da sua empresa. Em vendas *business-to-business*, um novo programa de geração de *leads*, por exemplo, pode levar meses só para ser definido, testado, consertado e finalmente integrado à rotina da empresa.

2 Experimente

Experimente de tudo. Sempre. Use o teste A/B. Experimente dois modelos de *script* para ligações ou e-mails com 50 *prospects*, e meça qual funciona melhor. Depois aplique essa ideia em tudo que você fizer. Teste e veja o que acontece.

3 Não faça projetos pontuais

A não ser que o objetivo seja aprender algo no futuro, não perca tempo com projetos pontuais. Se não há intenção que ele seja replicável, não será produtivo fazê-lo. Esforços pontuais, mesmo que deem algum resultado no curto prazo, acabam desviando o foco e a energia dos esforços sustentáveis.

4 Pare de usar o Excel!

Crie uma regra: se uma oportunidade de negócio, pedido, cliente ou qualquer outra informação de vendas não existe no seu sistema de automação de vendas, então ela não existe! Só remunere seus vendedores, por exemplo, por negócios e indicadores que estejam no sistema. Relatórios e métricas devem ser processados, tanto quanto possível, dentro do seu sistema de automação de vendas, e não no Excel.

5 Descreva, de forma geral, como as coisas funcionam e como é o processo em um fluxograma

Qual é o seu processo de geração de *leads* ou vendas? Poderia descrevê-lo de forma sucinta em uma folha de papel ou quadro? Se não, há um problema. Não sou fã de fluxogramas complexos. Me confundo facilmente. Desenhe um processo com três a sete etapas. Envolva o time. Comece definindo quais são os resultados esperados do processo ou do time. Essa função tem sido usada de forma específica?

6 Concentre-se nos resultados, não nas atividades

Por exemplo, acompanhar o número de oportunidades de negócio qualificadas por mês é muito mais significativo do que medir o número de ligações feitas pelo time de vendas.

7 Monitore poucas métricas, porém as mais importantes

É fácil se perder em meio a muitos relatórios e *dashboards*, o que pode acabar desviando o foco das métricas mais importantes. Trabalhe com o seu time no sentido de priorizar algumas métricas em detrimento de outras. Pense em algumas em vez de em dezenas.

As cinco métricas mais importantes na geração de *leads* e desenvolvimento de vendas:

- **Número de *leads*** criados por mês.
- **Número de oportunidades de negócio qualificadas** criadas por mês. Acompanhe também o volume, em moeda, que essas novas oportunidades acrescentam ao seu volume de negócios gerados no mês.
- **Taxa de conversão**, em porcentagem, do número de *leads* que são convertidos em oportunidades qualificadas de negócio.
- **Total de vendas ou receita**, dividido em: novos negócios, complementos e renovações (isso para o caso de sistemas tipo SaaS).
- **Taxa de sucesso**. Qual porcentagem das oportunidades de negócio acrescentadas ao funil de vendas são ganhas, ou seja, convertidas em contratos efetivos? Você deve medir tanto a quantidade quanto os valores em moeda.

8 Fique atento à passagem do bastão entre uma função e outra

Sem que o processo envolva uma "passagem de bastão" de uma função para outra, há o risco de ele cair. Pode ser na transferência de um *lead* do marketing para vendas, ou vendas passando um cliente para o pessoal do *Customer Success*. Essas passagens entre funções são responsáveis por cerca de 80% dos problemas nos processos. Então, refaça o desenho do processo de forma a garantir uma passagem suave do *lead* ou cliente entre as funções para evitar que ele seja perdido.

9 Avance em pequenos passos

Faça pequenas melhorias de forma sistemática. A longo prazo, elas trarão grande impacto. Lembre-se da parte do livro em que falamos sobre ter paciência. Muitas empresas tentam fazer grandes mudanças mais rapidamente do que seria possível, e acabam não dando conta do recado. Isso cria aquele efeito: um passo para frente e dois para trás. ■

SE VOCÊ VENDE PARA EXECUTIVOS DE VENDAS...

Se você vende para Executivos de Vendas, mude o seu ano fiscal para 31 de janeiro ou 28 de fevereiro. Para que tornar as coisas ainda mais difíceis tentando fechar seus contratos ao mesmo tempo que todo mundo está tentando fazer a mesma coisa? A Salesforce.com é uma empresa que sabe vender para Executivos de Vendas. Seu ano fiscal se encerra no dia 31 de janeiro.

Não fique esperando retorno por e-mail ou por telefone de Executivos de Vendas perto do final do mês ou trimestre. Seja respeitoso e deixe para ligar alguns dias depois desse período.

Da mesma forma, a maioria dos Executivos de Vendas estão em seus smartphones; então, com novos *prospects*, experimente enviar e-mails curtos, que possam ser lidos e respondidos facilmente, e que não exijam que a pessoa tenha que pensar muito.

Se você não vende para Executivos de Vendas e esse exemplo não se aplica a você, o que você pode fazer para tornar a compra mais fácil? Quais são os padrões, desafios ou sazonalidades que seus clientes possuem e que você pode trabalhar a seu favor, em vez de lutar contra? ∎

CAPÍTULO 10

CONTRATANDO E REMUNERANDO OS MELHORES PROFISSIONAIS DE VENDAS

FUNCIONÁRIOS SATISFEITOS DESENVOLVEM CLIENTES SATISFEITOS

O que você faz atualmente para que seus funcionários tenham prazer no que fazem? O exemplo que você dá como CEO ou líder vai se disseminar por toda a empresa.

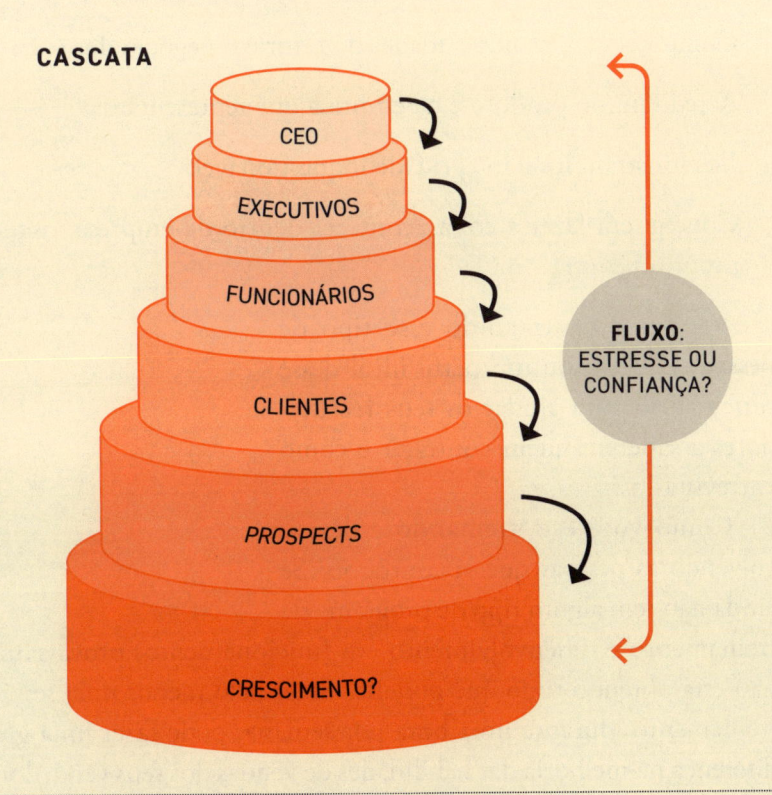

Figura 10.1 - Propagação do estresse e/ou da confiança a partir do CEO

OS MELHORES PROFISSIONAIS DE VENDAS...

Contrate e promova com cuidado! Os melhores profissionais de vendas são como consultores que conseguem vender. Além disso, eles também:

- Escutam mais do que falam.
- São bons para solucionar problemas.
- Compreendem as necessidades do setor e o negócio dos clientes.
- Acreditam no produto e na empresa que representam.
- Demonstram uma integridade inquestionável.
- Conseguem fazer a coisa acontecer dentro da empresa, usando o próprio *network*.

Você está contratando esse tipo de pessoa? Já elaborou um perfil ideal desse funcionário para ajudar os seus recrutadores a saberem quem contratar e como entrevistá-los?

Como você está treinando e desenvolvendo as pessoas que já contratou? Se ainda não tem algum tipo de programa de treinamento e desenvolvimento em funcionamento, provavelmente não está obtendo tudo que poderia. Fazer pelo menos uma sessão de treinamento, durante uma hora por semana, pode fazer uma grande diferença na melhoria das habilidades de vendas dos seus vendedores.

> **Contrate** e **promova** com **cuidado**! Os melhores profissionais de vendas são como consultores que conseguem vender.

ONDE POSSO CONTRATAR GRANDES VENDEDORES?

Todo mundo me faz essa pergunta. É claro que é sempre difícil encontrar pessoas extraordinárias, seja para trabalhar em vendas ou em outra área qualquer. A melhor fonte a longo prazo é cultivar e desenvolver vendedores internamente.

Faça uma combinação que coloque um veterano com três jovens, inteligentes e adaptáveis. Depois coloque-os num sistema que os desafie a aprender coisas novas, para irem crescendo aos poucos. Os melhores vendedores são aqueles que cresceram dentro da empresa, pois conhecem os produtos, os clientes e a empresa, de dentro para fora.

1º NÍVEL: *INBOUND*
MRRs

Responsabilidades:
- Responder a todos os *leads* do *inbound* da web e 0800
- Qualificar e passar os *leads* para o Executivo de Contas (*Closers*)
- Desenvolver habilidades de vendas e conhecimento dos produtos para se preparar para a próxima função

2º NÍVEL: *OUTBOUND*
SDRs

Responsabilidades:
- Criar oportunidades de venda adicionais nas contas frias
- Construir e higienizar listas e bases de dados de contas-alvo
- Usar efetivamente o sistema de vendas
- Desenvolver habilidades de vendas, produto e concorrência para se preparar para a próxima função

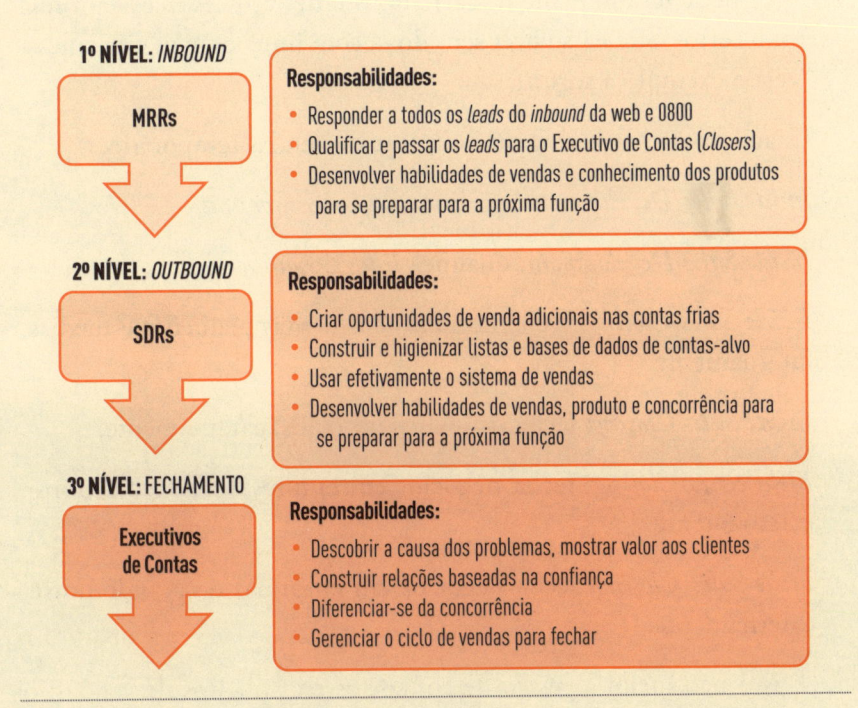

3º NÍVEL: FECHAMENTO
Executivos de Contas

Responsabilidades:
- Descobrir a causa dos problemas, mostrar valor aos clientes
- Construir relações baseadas na confiança
- Diferenciar-se da concorrência
- Gerenciar o ciclo de vendas para fechar

Figura 10.2 - Funções e responsabilidades em vendas

◢ DESENVOLVA AS CATEGORIAS DE BASE

Pense em criar um plano de carreira que desenvolva continuamente seus vendedores, como nos grandes times de futebol. Os atletas são contratados, inicialmente, para as categorias de base e vão sendo treinados. À medida que atingem um certo nível, são recrutados para as categorias superiores. Dessa maneira, uma categoria vai alimentando a outra de forma contínua.

> ❝ Pense em criar um **plano de carreira** que desenvolva **continuamente** seus vendedores, como nos grandes times de futebol.

Veja o exemplo para uma *startup* ou um pequeno time de vendas:

- *Market Response Rep* (MRR): atende os *leads* do site.
- *Sales Development Rep* (SDR): desenvolve novas oportunidades de negócios em contas frias.
- Executivo de Contas ou Executivo de Vendas: fecha negócios.

Você pode ter um plano de carreira com mais níveis – se a empresa tiver um certo porte e isso fizer sentido –, com funções mais específicas.

Veja o exemplo a seguir:

- Estagiário de marketing ou assistente de vendas temporário.
- *Inside Sales Development*: qualifica *leads* do *inbound*.
- *Inside Sales Development*: qualifica *leads* do *outbound*.
- *Inside Sales Closing*: fecha negócios em contas pequenas e médias, internamente.
- *Inside Sales Closing*: fecha pequenos negócios, externamente.
- *Field Sales Closing*: fecha negócios em empresas de médio porte, externamente.
- *Field Sales Closing*: fecha negócios em empresas de grande porte, externamente.

E isso não inclui a gestão de contas, os engenheiros de vendas, o suporte, e outros times ligados ao atendimento dos clientes, que também se beneficiam de toda movimentação de pessoas dentro e ao redor de seus times.

Quanto mais expostos a diferentes experiências e ao desenvolvimento de novas habilidades seu pessoal ficar, mais preparados estarão para se tornarem *experts* em solucionar problemas dos clientes. Isso serve para qualquer função dentro de uma empresa, tenha ela ou não contato direto com os clientes.

◢ O MOMENTO CERTO

Dependendo da função, você pode querer promover as pessoas ou transferi-las para outros times no prazo de 6 a 8 meses, principalmente nos estágios iniciais; e a cada um ou três anos nos níveis seguintes. O custo imediato de qualquer movimentação de pessoal para uma nova função é superado pelos benefícios em se ter um funcionário mais "redondo", que tem uma trajetória de aprendizado que o mantenha energizado, além de uma compreensão maior das necessidades dos clientes. ■

SERÁ QUE DEVO TER VENDEDORES 100% COMISSIONADOS?

Para cerca de 95% das empresas com que eu falo, não recomendo o modelo de remuneração baseado 100% em comissões. Cada executivo sabe o que é melhor para o seu mercado e negócio, mas é difícil imaginar uma situação na qual eu indicaria a contratação de vendedores 100% comissionados.

A exceção é o mercado de serviços financeiros, em que a prática do comissionamento puro é um padrão já conhecido e consolidado.

O ambiente da sua empresa determina se as pessoas serão bem-sucedidas ou não. O modelo de comissionamento puro não demonstra muito comprometimento do Gestor de Vendas ou da empresa, nem que eles estão lá para fazer o que for preciso pelo sucesso dos vendedores.

▲ ASPECTOS POSITIVOS:

- Redução dos riscos na contratação. Mesmo assim, ainda há os riscos de tempo e de oportunidade.
- Maior incentivo ao fechamento de negócios.

> ❝ O modelo de comissionamento puro **não demonstra** muito comprometimento do Gestor de Vendas ou da empresa.

▲ ASPECTOS NEGATIVOS:

- Se os ciclos de vendas se estenderem por mais de 1 ou 2 meses, os vendedores que dependem 100% de comissão vão começar a passar fome antes mesmo de fecharem negócios suficientes.

- A empresa começará a atrair vendedores menos experientes, que não conseguem arrumar outro emprego ou trabalho. Uma remuneração baseada 100% em comissionamento incentiva os vendedores a usarem de artifícios só para fechar uma venda. Você não quer pessoas desesperadas representando a sua empresa, quer? Além disso, eles aumentarão o seu risco, reduzirão o sucesso e a satisfação dos clientes, e arruinarão o moral e a cultura da empresa.

- Modelos equivocados de remuneração ou a falta de uma renda confiável significa que os seus vendedores terão mais problemas financeiros, o que ironicamente os levará a desviar o foco dos objetivos do trabalho.

Se você quer construir um time de vendedores de alto nível, que venda soluções, e que esteja comprometido com o restante da equipe e com a empresa, invista neles da mesma forma que eles investem na empresa. ■

COMO REMUNERAR OS SDRs?

Eu experimentei várias alternativas de remuneração para os SDRs na Salesforce.com. A que funcionou melhor foi a mais simples, na qual eu separava os ganhos em duas partes: uma fixa e outra variável.

Um salário fixo de US$ ▮▮▮▮▮▮▮▮▮▮▮▮▮▮▮.

Uma comissão de US$ ▮▮▮▮▮▮▮▮▮▮▮▮▮▮▮.

No caso da comissão, a ideia é que ela chegasse a 50% do salário fixo, ou seja, um terço da remuneração total.

A remuneração varia muito de um país para o outro, mas só para se ter uma referência, o salário anual de um SDR gira em torno de US$ 35 mil a US$ 60 mil, e o comissionamento vai de US$ 20 mil a US$ 60 mil.

Esses valores podem ser menores se você estiver trabalhando com produtos ou serviços de menor valor, e empregando estagiários ou pessoas de nível júnior.

As maiores remunerações se aplicam a pessoas com pelo menos cinco anos de experiência, e que estão vendendo produtos *premium*, no mercado *business-to-business*.

▲ COMO É COMPOSTA A COMISSÃO?

A comissão é paga mensalmente e é composta de duas partes:

❶ Metade da comissão (50%) do SDR vem do número de oportunidades de negócio qualificadas que ele gerou naquele mês, e que foram aceitas pelo Executivo de Contas.

2 A outra metade da comissão (os outros 50%) é paga com base em um percentual sobre os contratos fechados pelos Executivos de Contas, das oportunidades que ele repassou.

Esse tipo de estrutura proporciona o equilíbrio entre os objetivos de curto e longo prazos. Dessa forma, os SDRs são incentivados a gerar muitas oportunidades no presente, mas, ao mesmo tempo, precisam zelar pela sua qualidade para ganharem no futuro, quando os contratos forem fechados. ∎

ENVOLVA TODO O TIME NO DESENHO DO PLANO DE REMUNERAÇÃO

Mesmo tendo mantido algumas responsabilidades-chave — desenho do plano de remuneração, planejamento V2MOM, planejamento anual —, ainda assim dou a chance a quem quiser se envolver nessas funções, se desejarem. Envolver os funcionários, ou dar-lhes a chance na criação de qualquer coisa é vital para inspirá-los a se importarem com o negócio tanto quanto você.

> **Envolver** os funcionários, ou dar-lhes a **chance na criação** de qualquer coisa é vital para **inspirá-los** a se importarem com o negócio tanto quanto você.

Por exemplo, em determinado ponto, vários membros do time de vendas expressaram certa frustração com o plano de remuneração, que tinha três componentes:

1. Um salário fixo.

2. Uma comissão variável baseada em quantas oportunidades de negócio qualificadas aquela pessoa gerava por mês.

3. Uma comissão variável baseada no valor da receita gerada a partir das oportunidades de negócios qualificadas por aquela pessoa.

As reclamações eram raras, mas aumentaram pelo fato de eu não ter dedicado tempo suficiente educando os novos SDRs sobre o porquê de termos adotado aquele sistema.

Em vez de dizer a eles por que o plano de remuneração havia sido desenhado daquela forma, eu criei um processo e pedi o auxílio do time para revisitar e reestruturar o plano de remuneração. Das quinze pessoas que estavam presentes, cinco optaram por ajudar.

Fizemos uma reunião para aprofundar a questão, revimos as prioridades do time e as metas – identificadas por meio do processo V2MOM –, e criamos um fórum para que eles pudessem trocar ideias sobre a melhor maneira de estruturar um plano de remuneração que apoiasse as metas.

Após algumas horas de discussão, que incluíram uma revisão até mesmo das premissas básicas sobre as métricas que utilizávamos para mensurar a performance e o sucesso dos vendedores, e se deveríamos ter métricas diferentes, o time chegou à conclusão de que o plano de remuneração atual era o melhor.

Em vez de simplesmente dizer-lhes por que o plano de remuneração atual chegou àquele formato, eu fiz com que eles próprios descobrissem o processo. Eles encontraram a resposta e as reclamações acabaram. Melhor ainda, eles se tornaram muito mais aptos a ensinar outros membros do time ou novatos sobre o plano de remuneração, de forma que esse tipo de frustração nunca mais surgiu com as próximas gerações de funcionários. Nós terminamos no mesmo ponto de onde partimos: o plano de remuneração não mudou. Isso pode parecer perda de tempo, mas acredito que foi uma excelente oportunidade para um exercício de orientação e uma forma de aumentar a confiança e a transparência no time. Os vendedores se sentiram mais conectados ao time e aos sistemas, porque agora eles entendiam de forma mais profunda de onde as coisas vinham e por quê, e então passaram a tê-las dentro de si.

Minha única frustração nesse caso foi que eu esperava que eles viessem com algo que eu não tivesse percebido e, assim, pudéssemos aprimorar o plano de remuneração.

▲ RELATÓRIOS E REMUNERAÇÃO TRANSPARENTES

Eu tinha uma grande vantagem que me ajudava a ser transparente na divulgação e na remuneração de todo o time. Todos eles tinham o mesmo plano básico: salário fixo, bônus e percentual de comissão iguais. Ninguém tinha acordos especiais, mesmo os que possuíam mais experiência. Aqueles com mais experiência e expectativas poderiam ganhar uma remuneração extra por meio de resultados melhores.

Com uma remuneração transparente, todo o time via quem ganhou mais e o porquê, e como resultados melhores levavam a ganhos maiores.

Divulgando o que cada um ganhava, também eliminamos os erros na folha de pagamento, e reduzimos em 80% o tempo gasto no acompanhamento e na divulgação.

No modelo baseado no sigilo:

1. Processe o relatório: qual foi o resultado de cada pessoa?

2. Prepare o relatório e calcule as comissões.

3. Separe o relatório em partes individuais.

4. Envie um e-mail ou sente com cada pessoa para compartilhar os resultados e ver se estão corretos.

5. Conserte o relatório conforme a necessidade.

6. Junte todos os resultados em uma planilha.

7. Envie para o Financeiro.

Esse é o processo quando tudo dá certo! Se houver algum problema com o relatório ou com o financeiro, o processo vira um círculo vicioso entre consertar, reenviar, checar, consertar, reenviar, checar... Quando o time ficou um pouco maior, comecei a usar o método da transparência para eliminar 80% desse trabalho e racionalizar o processo.

Coloquei todos os resultados de vendas em uma única planilha, com o cálculo da comissão.

Depois eu anexava a planilha num e-mail e enviava para todos. Eles viam os resultados uns dos outros e sua posição no ranking.

Sim, todos podiam ver nos *dashboards* do Salesforce.com qual era sua posição no ranking em número de oportunidades ou contratos, mas na planilha eles viam a posição em relação à remuneração total.

Eles conseguiam ver exatamente quem estava indo melhor, quem poderia servir de modelo, ou a quem pedir ajuda para melhorarem sua performance.

Também podiam verificar se havia algum erro no relatório. Eles se sentiam seguros em receber os valores corretos do departamento financeiro, o que não acontece em muitas empresas, nas quais problemas com o pagamento dos vendedores são bastante comuns.

Eles podiam confiar no processo, e não precisavam se preocupar com ele, porque éramos abertos e transparentes. ■

CAPÍTULO 11

TREINANDO, DESENVOLVENDO E RETENDO OS SEUS TALENTOS DE VENDAS

A qualidade do seu pessoal é tudo! O seu sucesso e o do seu time dependem disso.
É como diz um antigo provérbio chinês:
Se quiser 1 ano de prosperidade, cultive cereais.
Se quiser 10 anos de prosperidade, cultive árvores.
Se quiser 100 anos de prosperidade, cultive pessoas.

O TREINAMENTO INTERNO CONSTRÓI UMA FORÇA DE VENDAS MELHOR

O treinamento contínuo pode ser o jeito mais fácil e barato de melhorar a performance do seu time. Ele demanda comprometimento e foco, mas é sempre um bom investimento do seu tempo.

▴ O MELHOR E MAIS BARATO INVESTIMENTO NO SEU PESSOAL É...

Treinamento e *coaching*, especialmente dos novatos, é sempre o melhor e mais barato investimento que você pode fazer nas pessoas do seu time. Sempre vejo a diferença que o treinamento sistemático promove na melhoria das habilidades e resultados, reduzindo o tempo de rampagem e deixando os vendedores aptos a serem promovidos.

> ❝ Treinamento e *coaching*, especialmente dos novatos, é sempre o **melhor** e **mais barato** investimento que você pode fazer nas pessoas do seu time.

Exercícios monitorados, simples e práticos, com *feedback*, podem fazer uma enorme diferença na performance, seja na habilidade de falar em público, lidar com objeções, falar ao telefone, fazer demonstrações, ou no desenvolvimento pessoal e profissional.

▴ O QUE FUNCIONA?

- Um programa de formato contínuo e regular.
- Exercícios e simulações, com *feedback* produtivo.

- Termine o que começou: tenha um cronograma, monitore o progresso, mantenha o programa atualizado e não deixe que a coisa esfrie.

- E, finalmente, o mais importante: obtenha o comprometimento do CEO ou do Diretor de Vendas para ir até o fim e aderir ao programa. Você encontrará uma série de dificuldades para lidar nas semanas, meses e trimestres seguintes. O treinamento interno só receberá a atenção que merece quando os gestores acreditarem na ideia e estiverem dispostos a investir. ■

O MELHOR TIPO DE TREINAMENTO DE VENDAS

Nada supera a simulação como forma de treinamento em vendas. Mesmo se comparado aos treinamentos por telefone, a coisa de que mais gosto na simulação é que você pode parar e recomeçar tudo, ou voltar em alguma parte que tenha causado dúvidas, quantas vezes quiser até que as pessoas aprendam.

Você pode usar a simulação para treinar as pessoas a fazerem ligações, demonstrações e apresentações ao vivo.

▲ COMO FAZER ISSO?

Primeiro, inclua a simulação no treinamento dos novos funcionários e nos encontros regulares com o seu time.

Vamos usar uma simulação de uma ligação para exemplificar como usar essa técnica:

- Um cenário é criado e apresentado ao grupo. Digamos que um SDR fará uma ligação para um Diretor de Marketing de uma divisão da General Eletric. Ou, talvez, o SDR vá conduzir uma ligação de sondagem com dois executivos dessa divisão.

- Um participante é selecionado para fazer o papel do SDR.

- Uma ou mais pessoas são selecionadas para fingirem ser *prospects* da empresa. Você pode ter pessoas diferentes representando papéis distintos em uma mesma ligação ou demonstração: o CEO, o Diretor de Vendas, etc.

- Mande a pessoa que será treinada de volta para sua mesa de trabalho ou outra sala.

- Leve todo mundo para a sala de conferência. Isso inclui os outros membros do time, que poderão ouvir a ligação.

- Então, a pessoa que está sendo treinada liga para a sala de conferência... e a coisa acontece!

O instrutor deve desafiar o participante, mas não a ponto de fazê-lo se sentir frustrado e não aprender nada. Você verá que é mais fácil do que pensa. ■

O TREINAMENTO SEMANAL AUTOGERIDO DA SALESFORCE UNIVERSITY

Algumas funções podem ser desenhadas para serem autogeridas, sem a necessidade de um líder específico. Meu time tinha um encontro na Salesforce University, todas as quartas à tarde, para o treinamento continuado. Nós o modelamos com base no formato da Toastmasters, adaptando-o às necessidades específicas do nosso negócio.

O treinamento era autogerido. Cada semana alguém podia se oferecer – ou "ser oferecido", se estivesse com vergonha e precisasse de um pequeno empurrão – para gerenciar a agenda e o encontro da semana seguinte.

A agenda sempre incluía vários tópicos, em pílulas de 10 a 15 minutos, como:

- Treinamento de produto e vendas.

- Tópicos sobre gestão de negócios: relatórios financeiros, ou como gerenciar pessoas.

- Falar em público: os vendedores tinham que se apresentar aos colegas para praticar e receber *feedback*.

- *Dealer's choice*: qualquer coisa que o "dono da agenda" naquela semana quisesse incluir, só por diversão.

O responsável pelo treinamento não tinha que criar o conteúdo para o encontro. Ele deveria cuidar da organização, definir quem iria fazer alguma apresentação, e conduzir o encontro. Essa era a sua oportunidade para começar a desenvolver suas habilidades como miniCEO, em um nível mais básico.

◢ EXEMPLO DE UMA AGENDA DE TREINAMENTO NA SALESFORCE UNIVERSITY

ABERTURA DO LÍDER [1 MIN.]

Comece a reunião na hora. Apresente o primeiro a falar. Mantenha o controle sobre a agenda e o tempo.

TÉCNICAS DE VENDAS 1 [10 A 20 MIN.]

Normalmente, nós utilizávamos essa parte para treinar falar em público e fazer apresentações, desde simples apresentações iniciais até simulações completas, que incluíam cenários, abordagem, tratamento de objeções e concorrência. Antes de avançar, o líder da reunião pedia o *feedback* imediato sobre quem estava apresentando.

PERGUNTAS RÁPIDAS [10 A 15 MIN.]

Um dos membros do time preparava de quatro a cinco perguntas que os clientes costumavam fazer e chamava os outros participantes para responderem, colocando-os na fogueira! Eles tinham que responder em 1 ou 2 minutos. Após a resposta, os outros colegas davam seu *feedback* sobre a resposta e faziam sugestões para melhorá-la.

TÉCNICAS DE VENDAS 2 [10 A 20 MIN.]

Uma segunda rodada de técnicas de vendas para praticar falar em público, simular ligações, demonstrações, etc.

NOVA MELHOR PRÁTICA [10 MIN.]

O responsável por esse tópico deveria apresentar uma nova melhor prática criada por ele ou outro colega, que valesse a pena ser compartilhada.

APRENDIZADO SOBRE UM SETOR OU VERTICAL [15 MIN.]

A cada semana, selecionávamos um setor ou vertical para alguém pesquisar. Isso atualizava o time com informações que ajudavam a prospectar e a vender com maior efetividade. Essa pesquisa incluía: terminologia, modelo de negócio, perguntas de sondagem, referências de clientes atuais, etc. O responsável por essa pesquisa acabava se tornando o *expert* naquele setor ou vertical.

FECHAMENTO DO LÍDER [5 MIN.]

- O líder encerra a reunião pedindo *feedback* sobre o formato da reunião, se deveria mudar ou não na próxima semana.
- Escolhendo o líder da próxima reunião.
- Selecionando os responsáveis pelos conteúdos do próximo encontro.
- O novo líder de reunião anota os papéis de cada um e é responsável por fazer o encontro da semana seguinte um sucesso.

Os encontros duravam entre uma hora e uma hora e meia. O líder era o responsável pelo andamento e o cumprimento do horário, o que se tornou outra grande oportunidade para praticar as habilidades de miniCEO. De vez em quando, nós fazíamos encontros especiais para todo o time para treinar demonstrações, por exemplo.

Os únicos momentos em que o gerente participava era no momento do *feedback* dos apresentadores e para ajudar o líder da reunião, se fosse necessário. Eu tinha que fazer um certo esforço para me segurar e resistir à tentação de fazer a gestão.

Quanto mais eu colocava minha energia e presença na reunião, menos espaço sobrava para as pessoas compartilharem suas próprias ideias e investirem sua energia.

O líder da reunião deveria não ter feito outro encontro antes; era sua responsabilidade pedir ajuda e orientação sobre como fazer uma reunião bem-sucedida. Como havia muita gente ao redor dele com *expertise* para fazer aquilo, era inaceitável que ele não aproveitasse a experiência dos outros.

Com a troca de responsabilidades de um encontro para o outro e um mecanismo de *feedback* embutido, os encontros se tornaram uma máquina que se autoperpetua. ■

TRÊS MANEIRAS DE INSPIRAR E MELHORAR SUA ÁREA DE VENDAS

1 Inclua os vendedores no planejamento dos novos programas

Comece perguntando ao pessoal de vendas como eles gostariam de ver suas opiniões incluídas no negócio. O que mudariam? O que fariam se fossem os gestores?

Da mesma forma que é importante ouvir os *insights* dos clientes nas fases iniciais do desenvolvimento de um novo produto, você pode evitar uma série de problemas e frustrações e ter um produto de vendas bem melhor se incluir os vendedores logo no começo do processo.

Você não tem que obrigá-los a dar ideias ou *feedback*, apenas solicite voluntários. Nem sempre as pessoas estão dispostas a participar, mas a maioria gosta de ter a opção de poder contribuir ou não.

Haverá um número razoável de pessoas que estarão dispostas a ajudar de forma ativa, seja apresentando ideias ou conduzindo o processo. Então, tente deixá-las participar.

2 Teste os novos programas de vendas

Faça um rascunho do seu programa ou regra, e submeta-o aos grupos para obter *feedback*. Teste-o. Corrija os erros ou faça os ajustes necessários rapidamente, antes que o programa seja enviado a todos.

Isso significa que você precisa planejar os territórios para o próximo ano e os planos de remuneração antes do ano terminar.

3 Pesquisa de satisfação

Seus vendedores estão satisfeitos com o suporte que recebem e o ambiente de trabalho? Quais ferramentas ou questões relativas ao ambiente são insatisfatórias?

Você pode fazer esse tipo de pesquisa andando pela empresa, colocando a questão nas reuniões de vendas, ou simplesmente usando um aplicativo de pesquisa como o SurveyMonkey.com.

Vai dar algum trabalho e exigir um certo grau de criatividade, mas envolver o seu time de vendas no desenho dos produtos que venderão eleva o moral, o engajamento e aprimora as ferramentas de vendas. Tudo isso leva a mais resultados.

Tente fazer isso na sua área de vendas, e depois implemente no restante da empresa. ∎

A IMPORTÂNCIA DE IR ATÉ O FIM

Programas esporádicos, que não vão até o fim, distanciam-se da performance porque:

Qualquer progresso não é duradouro.

Você perde seu tempo e os recursos investidos de uma só vez.

O seu time verá que a empresa não está realmente comprometida com o treinamento, então para que se preocupar?

Para ter continuidade e usufruir dos benefícios do treinamento para a produtividade por muito tempo, você deve concluir cada aspecto do programa e demonstrar o compromisso da gestão com ele. Se você não estiver comprometido, seus vendedores também não estarão.

> 66 Se você não estiver **comprometido**, seus vendedores também **não estarão**.

Um novo programa de contratações e treinamento de vendas

Sua empresa possui alguma espécie de treinamento introdutório formal para os novos vendedores e demais contratados?

Um treinamento de vendas, por exemplo, que termine com um exercício de certificação no qual os vendedores fazem apresentações de vendas e demonstrações?

A princípio, os novatos devem ser ranqueados por performance, pelos Executivos de Vendas. Com o tempo, os vendedores devem ser recertificados em conhecimento do produto e concorrência, dois exemplos de áreas que estão sempre mudando.

Incorpore o treinamento nas trilhas de desenvolvimento de carreira

Use os critérios de promoção interna para treinar mais seus funcionários.

Quando um vendedor quiser ser promovido, coloque-o em uma situação simulada, dependendo do nível de experiência que ele tem.

Coloque um vendedor júnior, por exemplo, para fazer uma ligação inicial para um cliente, como entrevista de promoção. Isso proporciona aos Executivos de Vendas a chance de verificar o potencial do candidato, e motiva os vendedores a investirem no desenvolvimento das habilidades necessárias para subir aos níveis mais altos da carreira em vendas. ■

RETENDO OS MELHORES TALENTOS

O sucesso da empresa a longo prazo sempre dependerá da capacidade em manter e desenvolver talentos. Você corre o risco de perder algum talento? Você saberia se está em risco, ou só descobriria quando lhe comunicassem sobre a nova proposta de trabalho que acabaram de aceitar?

Buckingham e Coffman, no livro *First, Break All the Rules: What the World's Greatest Managers Do Differently*, descrevem 12 métricas para medir a satisfação dos seus talentos:

1. Eu sei o que é esperado de mim no trabalho?
2. Tenho os materiais e equipamentos necessários para fazer o meu trabalho de maneira adequada?
3. No trabalho, tenho a oportunidade de fazer o que sei fazer melhor todos os dias?
4. Nos últimos sete dias, eu recebi algum reconhecimento ou prêmio por ter feito um bom trabalho?
5. Meu supervisor, ou alguém no trabalho, se preocupa comigo como pessoa?
6. Há alguém no trabalho que encoraja o meu desenvolvimento?
7. No trabalho, minhas opiniões são levadas em conta?
8. A missão ou propósito da minha empresa me faz sentir que o meu trabalho é importante?

9 Meus colegas estão comprometidos em fazer um trabalho de qualidade?

10 Tenho um grande amigo no trabalho?

11 Nos últimos 6 meses, falei com alguém sobre o meu progresso no trabalho?

12 No trabalho, tenho tido oportunidades de aprendizado e crescimento?

Gestores, foquem as seis primeiras questões!
É importante focar as seis primeiras questões, pois não faz sentido preocupar em desenvolver seus funcionários (questão 12) se eles não sabem o que se espera do trabalho deles, e não têm oportunidade de praticar o que fazem melhor (questões 1 e 3). ■

> Para ter **continuidade** e usufruir dos **benefícios** do **treinamento** para a **produtividade** por muito tempo, você deve **concluir** cada aspecto do programa e demonstrar o **compromisso** da gestão com ele. Se você não estiver **comprometido**, seus vendedores também não estarão.

PARTE 4

Liderando e gerindo a máquina de vendas

CAPÍTULO 12

OS SETE ERROS FATAIS QUE CEOS E DIRETORES DE VENDAS COMETEM

"Eu nunca cometo erros idiotas. Só os muito, muito inteligentes."
John Peel

MESMO OS CEOs E DIRETORES DE VENDAS MAIS EXPERIENTES SEMPRE COMETEM ERROS

Desde que saí da Salesforce.com, prestei consultoria para dezenas de empresas. E, em grande parte delas, vi seus executivos cometerem praticamente os mesmos erros, na tentativa de fazer as vendas crescerem.

1 Não tomar para si a responsabilidade sobre a geração de vendas e *leads*

Tudo começa com o CEO. Mesmo que ele tenha contratado executivos para tomar conta da geração de *leads* e vendas, ainda assim, ele não pode delegar a terceiros o seu entendimento sobre como funcionam essas duas coisas. O CEO precisa compreender os fundamentos dessas atividades para poder estabelecer objetivos efetivos, orientar seus executivos e resolver problemas de receita.

Um dos maiores erros fatais que cometi como CEO da Lease-Exchange, à época, foi justamente delegar tanto a execução quanto a compreensão a respeito da geração de *leads* e vendas. Falhei não só na criação de metas arbitrárias, mas também no entendimento de por que os resultados não vieram como eu esperava. Isso era prova de que eu não tinha uma ideia clara do que precisaria mudar para que tivesse os resultados desejados.

Vendas *Outbound*

Vendas Direcionadas

ALVOS

SEMENTES

Boca a Boca

Relações Públicas

REDES

Programas de Marketing

Figura 12.1 - Tipos de *lead* e formas de geração

A partir da compreensão sobre como vendas e a geração de *leads* funcionam, o CEO pode ajudar a criar os planos e uma visão para o time. Dessa forma, ele evita objetivos, suposições e planos arbitrários e, com isso, faz a empresa crescer mais rápido e com melhores resultados.

A solução: o CEO assumir inteira responsabilidade pelo seu próprio aprendizado e desenvolvimento, seja indiretamente, por meio de um trabalho de *coaching*, ou diretamente, se envolvendo nos projetos em andamento.

2 Achar que os Executivos de Contas devem fazer prospecção de novas contas

Você precisa fazer com que os seus Executivos de Contas, aqueles que têm metas de vendas para bater, gastem a maior parte do tempo fechando contratos ou ligando para os clientes, e apenas o mínimo necessário prospectando novas contas. Prospecção não vira receita, fechar contratos sim.

Seus Executivos de Contas deveriam gastar no máximo 20% do tempo fazendo a prospecção de umas 10 contas estratégicas, além de parceiros e clientes atuais.

A maior parte da prospecção de novas contas deveria ficar a cargo de alguém que faça exclusivamente isso. Mesmo serviços como os de consultoria, que dependem bastante de relacionamento, podem vender mais se o trabalho inicial com as novas contas for realizado por um SDR, que tem uma relação custo-benefício melhor.

A solução: especialize as funções de vendas. Você só precisa de duas pessoas para começar a especializar o seu time. Isso é tão importante, que eu repito essa frase várias vezes ao longo do livro.

3 Supor que os canais farão a venda por você

Um dos maiores erros que se pode cometer é supor que, uma vez estabelecido um acordo de parceria com determinado canal, ele fará a maior parte da venda por você.

Normalmente, e em especial para a venda de *softwares* e serviços corporativos, os canais não farão. Ou não podem, ou simplesmente não são bons nisso.

Você precisa assumir o controle do seu próprio destino. Primeiro, precisa conseguir seus próprios resultados em vendas e provar o seu sucesso, antes de conseguir se beneficiar do uso dos canais. Os canais vêm depois do seu sucesso!

A solução: primeiramente, assuma o controle do seu próprio destino e seja bem-sucedido fazendo suas vendas de forma direta, para depois pensar em deixar seu negócio na mão dos canais.

4 Atrapalhar-se na contratação, treinamento e incentivo dos talentos

Uma receita previsível requer que você tenha processos de gestão de pessoas replicáveis. Deixar que pessoas recém-contratadas tenham que se virar sozinhas, após umas poucas horas ou dias de treinamento, não é replicável. Executivos cometem todo tipo de equívoco nesse sentido:

Processo de contratação fraco

Especialmente das lideranças de vendas. É usual contratar apenas pelo currículo. Porém, lembre-se de que quem trabalha em vendas tem talento para vender, inclusive sua própria imagem.

Treinamento deficiente

Para aprender alguma coisa, é preciso se colocar no lugar do cliente. Recém-contratados deveriam gastar um tempo em áreas da empresa que lidam com os clientes antes de começarem, de fato, seu trabalho. Veja o gráfico a seguir para ter uma ideia de um treinamento "tipo escada":

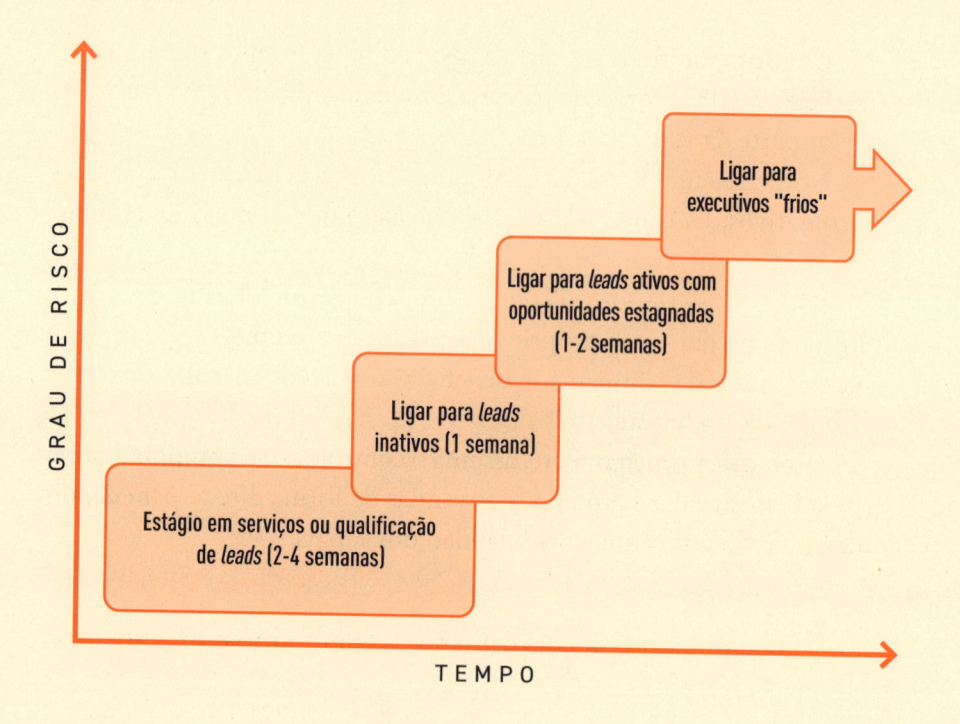

Figura 12.2 - Treine os novos funcionários em suporte e serviços

Expectativas exageradas sobre o tempo de rampagem

Pense de 1 a 3 meses para um Executivo de Contas interno, e de 6 a 18 meses para os externos ou corporativos. Qual a melhor forma de fazê-los alcançar o nível de cruzeiro mais rapidamente? Ajude-os com a geração de *leads* em vez de esperar que façam 100% do trabalho.

Promover as pessoas erradas

Por que os executivos não perguntam para as pessoas quem deveria ser promovido, antes de fazê-lo?

Usar o dinheiro como principal ou único elemento de motivação

Usar o dinheiro como principal ou único elemento de motivação e ignorar outras formas mais leves de recompensa como respeito, reconhecimento e diversão.

A solução: não tente reinventar a roda. Contrate um *coach* para ensiná-lo a contratar, treinar e incentivar, ou procure alguma empresa local que possa servir de referência.

5 Pensar em colocar o produto para fora em vez de o cliente para dentro

Se você não está conseguindo avançar, apesar dos esforços, na geração de *leads*, primeiro olhe para dentro. Será que o perfil ideal de cliente está claro? Você identificou os principais desafios que os clientes enfrentam? O seu marketing está se comunicando com esses clientes ideais, ou está tentando falar com tantos públicos diferentes que todo o esforço acaba muito diluído?

A maioria dos executivos detesta fazer isso, porque dá a impressão de que estão deixando para trás muitas oportunidades de mercado. Mas a sabedoria diz: "Escolha um nicho e fique rico". É como se fosse um jato d'água. Quanto mais espalhado, menor a força. Concentre o jato e ele se tornará extremamente poderoso.

As empresas adoram falar sobre quem são e o que fazem. "Somos a plataforma líder em...". Ninguém se importa com o que você faz, mas sim com o que você entrega para seus clientes. Você é uma plataforma, e daí? Qual é o valor disso para os seus clientes? Qual o impacto ou resultado você pode prometer para os clientes?

Para se manterem ligados no que realmente acontece "lá fora", os executivos precisam gastar pelo menos 25% do seu tempo com os clientes.

A solução: falar com os clientes para deixar claro o que você faz por eles, em vez do que você faz, no geral. Coloque isso em uma folha de papel, de forma bem simples, para que todos na empresa saibam. E tente falar, pessoalmente ou por telefone, com os clientes com frequência.

6 Fazer a apuração e o acompanhamento das métricas de forma desleixada

Você não pode ter algo previsível sem processos replicáveis. Também não pode tornar o que importa replicável se não o está apurando sistematicamente – e isso não inclui o número de chamadas telefônicas que seus vendedores fazem por dia.

- Qual a eficácia da apuração das atividades e dos resultados de vendas e marketing que você faz?

- Se ainda não faz essa apuração, por que ainda deixa isso de lado? "Vamos começar a fazer na próxima semana, trimestre, ano..."

- A não ser que você já saiba o que funciona ou não, está apenas tentando adivinhar como melhorar.

Se você tivesse apenas cinco métricas para monitorar...
Acompanhe sistematicamente as métricas a seguir no seu sistema de automação de vendas, por meio de *dashboards*:

- Número de novos *leads* criados por mês. Coloque também a fonte de origem do *lead*.

- Taxa de conversão de *leads* em oportunidades de negócio – qualificadas, é claro.

- Número de oportunidades de negócio qualificadas por mês e o valor, em moeda, que isso acrescenta ao funil de vendas. Esse é o indicador mais importante para sinalizar a receita!

- Taxa de conversão das oportunidades de negócio em acordos fechados.

- Receitas registradas em três categorias: novos negócios, *add-ons* (complementos) ou renovações.

A solução: comece monitorando de três a cinco atividades ou resultados imediatamente. Continue experimentando novas métricas, testando antigas e pensando em como utilizá-las para melhorar o seu negócio. Faça uma revisão semanal com o time.

7 Gestão do comando e controle

Você acha mais fácil dizer às pessoas o que fazer, no lugar de orientá-las, porque isso acaba demandando mais tempo e energia da sua parte?

Você não está só. Pode ser desafiador gastar boa parte do seu tempo dando apoio ao seu pessoal.

> Você acha mais fácil dizer às pessoas o que fazer, no lugar de orientá-las, porque isso acaba demandando **mais tempo e energia** da sua parte?

O perigo é acabar tratando os funcionários como recursos, em vez de pessoas com grande potencial, energia e ideias que poderiam contribuir, caso o ambiente seja propício para isso. Na verdade, o que acontece é...

- A maioria dos funcionários tem ideias e gostaria de ir além das suas funções.

- A maioria dos funcionários quer ser inspirada por alguém e fazer a diferença.

- A maioria dos funcionários quer ser útil, confiante e comunicativa.

- Para a maioria dos funcionários, é tão exaustivo receber ordens quanto é para o gestor ter que dá-las.

Como você poderia explorar ao máximo a criatividade, a inspiração e a capacidade de seus funcionários? Há um monte de práticas comprovadas para ajudá-lo a fazer isso.

A solução: Leia *The Seven Day Weekend*, de Ricardo Semler; visite www.worldblu.com para saber mais sobre as empresas que funcionam democraticamente; ou leia o meu livro *CEOFlow: Turn Your Employees Into MiniCEOs*.

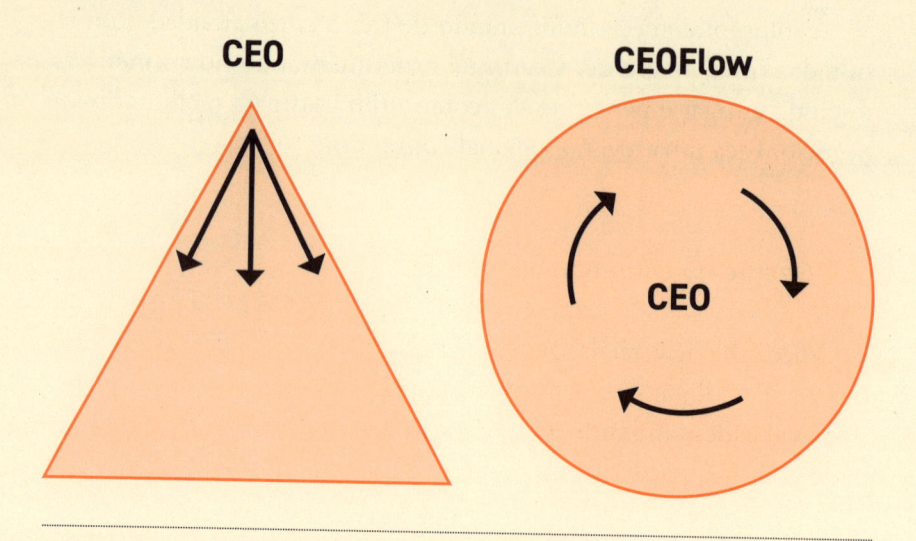

Figura 12.3 - CEOFlow: transforme seus funcionários em miniCEOs

ERRO EXTRA: Investir pouco no sucesso do cliente

CEOs e executivos, especialmente nos primeiros anos de uma empresa, ficam focados na conquista de clientes e, frequentemente, se esquecem dos atuais e dos antigos.

Ignore a gestão de contas e os clientes atuais por sua conta e risco.

Quando as empresas precisam contratar alguém, mas têm que optar entre um vendedor ou um gestor de conta, quase sempre a resposta é: contrate o vendedor.

Vivemos em um mundo muito, digamos, sensível. Experiências boas e más ganham repercussão quase instantânea. Uma maçã podre pode contaminar outras milhares rapidamente.

A solução: segure firme na mão de seus primeiros 50 clientes, e lhes dê muita atenção.

Não há fórmulas mágicas para isso: ligue para eles, visite-os, converse! Pergunte se estão precisando de alguma coisa, se têm alguma ideia ou sugestão de melhoria. Peça conselhos. Enfim, faça alguma coisa. ∎

CAPÍTULO 13

LIDERANÇA E GESTÃO

"Nada prova de forma tão conclusiva a habilidade de um homem para liderar outros do que o que ele faz, no dia a dia, para liderar a si mesmo."
Thomas J. Watson

AS SEIS RESPONSABILIDADES DE UM GESTOR

Um modelo de gestão que faz sentido:

1	ESCOLHA AS PESSOAS CUIDADOSAMENTE.
2	ESTABELEÇA AS EXPECTATIVAS E A VISÃO.
3	REMOVA OS OBSTÁCULOS.
4	INSPIRE O SEU TIME.
5	TRABALHE PARA O SEU TIME.
6	MELHORE DA PRÓXIMA VEZ.

1 ESCOLHA AS PESSOAS CUIDADOSAMENTE

Normalmente, faz mais sentido contratar pessoas talentosas e que se adaptam mais facilmente do que as mais experientes. Ao longo do tempo, os melhores funcionários são aqueles que se adaptam melhor às mudanças e funções. Alguém que aprenda rápido e tenha vontade pode compensar a falta de experiência no intervalo de 6 a 12 meses, e superar os colegas mais experientes.

Meu melhor vendedor em 2004 nunca tinha trabalhado em vendas antes de entrar para o nosso time. Se você tem um excelente candidato, mas está preocupado em relação à falta de experiência dele, considere a possibilidade de criar uma função de "iniciante", com o objetivo de testá-lo por 6 meses.

2 ESTABELEÇA AS EXPECTATIVAS E A VISÃO

Não defina a função em termos de atividades. Em vez disso, defina-a em termos de resultados tanto quanto for possível. Se você cria um processo muito rígido para atingir os resultados, você:

- Inibe a criatividade das pessoas para melhorarem o processo.
- Assume o risco de o processo não se ajustar a alguns indivíduos e eles produzirem menos do que poderiam.

Diga a eles aonde ir e o que precisam entregar. Dê conselhos e orientação, mas deixe que encontrem o próprio caminho.

3 REMOVA OS OBSTÁCULOS

Gestores também precisam agir como uma espécie de comissão técnica esportiva, que estabelece e reforça as regras, define o campo de jogo, o sistema de avaliação, etc., e depois fica de lado e deixa o time jogar. Se o campo, as regras e a avaliação não forem claros e razoáveis, o jogo é suspenso por incerteza, argumentos e confusão.

Simplicidade, clareza = produtividade.
Incerteza, ambiguidade = desperdício.

Da mesma forma, em vendas, se os territórios, o tempo de espera e as normas para começar a trabalhar, o plano de remuneração e os processos de vendas forem incertos e confusos, será criado um atrito desnecessário, levando a perda de tempo e esforço, com zero benefício.

Para evitar desgastes desnecessários com o seu time de vendas, estabeleça e atualize – a tempo – os territórios, os planos de remuneração e as regras de espera e transição.

4 INSPIRE O SEU TIME

Inspirar pessoas não significa tornar-se um animador de torcida. É entender o que ajuda o seu time e seus indivíduos a encontrarem suas próprias razões (e não as suas) para se superarem e atingirem todo o seu potencial (o delas, e não o seu).

A remuneração faz parte, porém, os outros elementos que compõem um bom trabalho são igualmente importantes. Oportunidades de promoção, de aprender coisas novas, alcançar metas pessoais e muitos outros fatores impactam a motivação, ou a falta dela.

A gestão ao estilo *pit bull* pode, infelizmente, ser enaltecida na mídia ou em algumas empresas muito agressivas. Porém, a longo prazo, esses gestores são péssimos para a produtividade das pessoas e da empresa. Os melhores profissionais acabam abandonando o barco, e só aqueles que não conseguem um emprego melhor é que ficam.

Também não faça o estilo bonzinho. Tente equilibrar uma atitude positiva, de apoio, com disciplina.

5 TRABALHE PARA O SEU TIME

Você estaria satisfeito no seu trabalho se não houvesse oportunidade para aprender, crescer e ser promovido? Seu gestor reserva um tempo para ajudá-lo a se desenvolver?

O seu pessoal deseja as mesmas coisas que você. Tire um tempo para, de forma proativa, compreender seus objetivos

> ❝ **Você estaria satisfeito** no seu trabalho se não houvesse **oportunidade** para aprender, crescer e ser promovido?

pessoais e profissionais e, a seguir, ajude-os a alcançar esses objetivos. Ajude cada um a encontrar o seu lugar e o próprio caminho na empresa, em vez de conduzi-los, de forma automática, ao próximo degrau da carreira.

Trate qualquer erro como uma oportunidade de aprendizado e orientação.

Em vez de pensar que eles trabalham para você, alimente a ideia de que é você quem trabalha para eles. Quanto mais você trabalhar para o sucesso deles, mais eles se empenharão pelo sucesso do time e, consequentemente, pelo seu.

6 MELHORE DA PRÓXIMA VEZ

O que você faria de forma diferente da próxima vez, com qualquer um dos cinco itens que acabamos de discutir? De tempos em tempos, volte até eles para melhorá-los e modificá-los à medida que sua empresa crescer. O que funciona hoje pode ser melhorado amanhã. ■

POR QUE OS VENDEDORES RELUTAM EM SEGUIR ORIENTAÇÕES

Executivos de todos os tipos de empresas reclamam que seus vendedores (e todos os outros tipos de funcionários) não seguem processos, programas ou orientações. Se todos os programas, ferramentas e regras que você já criou realmente ajudaram os vendedores a vender mais, e foram comunicadas de forma efetiva, então por que eles não adotam mais delas?

Vou usar o exemplo da área de vendas para mostrar como você pode ajudar os funcionários a fazerem as coisas de uma forma que seja benéfica para a organização, mas você pode usar esses princípios em qualquer área da sua empresa.

O modelo convencional de gestão de vendas se baseia em dizer às pessoas o que fazer, e esperar que elas obedeçam. Todo gestor de vendas fica frustrado ao ver que seus vendedores não estão fazendo aquilo que ele disse. "Eles não usam o sistema de vendas... Eles não fazem ligações suficientes... Eles não vendem valor... Eles não entendem o plano de remuneração... Eles não participam dos treinamentos... Eles não fazem projeções..."

Uma das opções é bater sua cabeça na parede tanto quanto puder, e tentar forçar os vendedores a fazerem o que você quer. Entretanto, é extremamente desgastante e improdutivo tentar controlar comportamentos, para ambos os lados.

E isso nunca mais funcionará "com esses arrogantes e exigentes funcionários que temos agora, que não querem receber ordens sobre o que e como fazer".

Os principais motivos são:

▲ AS PESSOAS DETESTAM RECEBER ORDENS, POR ISSO A COERÇÃO NATURALMENTE LEVA À RESISTÊNCIA

Como você se sente quando alguém fala para você fazer alguma coisa, em vez de explicar por que algo é importante e que, portanto, precisa da sua ajuda? Você concorda ou, de propósito, vai contra só para mostrar que ninguém pode lhe dizer o que fazer?

▲ É UMA GAMBIARRA, E NÃO UMA SOLUÇÃO

A coerção é uma tentativa de encontrar um atalho até a melhor solução para o usuário. Grandes soluções são difíceis e demandam tempo e, em nossa cultura da urgência, tendemos a pensar: "Como podemos fazer isso agora? Como podemos implementar isso de forma rápida?". Isso é especialmente verdade em vendas, uma área em que sempre há pressão por resultados imediatos!

▲ VOCÊ PERDERÁ A BATALHA DA COMPLEXIDADE

Todos os programas de vendas, ferramentas, planos e regras tendem a se tornar maiores e mais complexos com o tempo. Num dado momento, a complexidade cruza o ponto de inflexão de útil para algo mais parecido com uma bola de cabelo.

É desafiador equilibrar o valor de mais recursos com a usabilidade.

A melhor forma de lutar nessa batalha é aperfeiçoar a maneira como escolhe e lança os seus processos, ferramentas e programas internos. Envolva o seu pessoal! Sempre inclua os vendedores no processo de atualização do plano de remuneração, por exemplo.

Se você concorda em ouvir e receber *feedback*, mas não faz nada sobre isso, nada mudará. Isso não funciona, a não ser que você escute de verdade. O pior é que essa postura pode fazer o seu time se sentir pouco valorizado, com redução do moral, além de causar menor produtividade e maiores níveis de estresse.

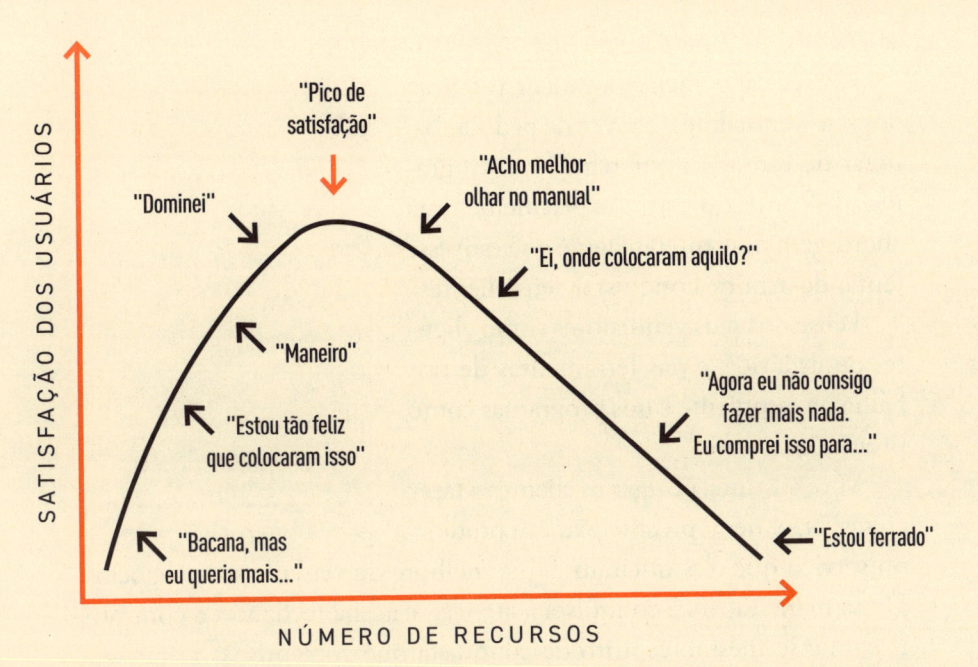

Figura 13.1 - Número de recursos X Satisfação dos usuários
Fonte: The Creating Passionate Users Blog (www.headrush.typepad.com)

Seu time não é preguiçoso, teimoso ou avesso a processos. Ele é contra processos complicados, que não fazem sentido, não foram explicados de forma apropriada, ou não ajudam em nada. Na verdade, seu time adora processos intuitivos e ferramentas que o fazem vender mais.

Então, isso que você quer que os seus vendedores façam é algo que realmente os ajudará, ou é mais uma tarefa administrativa para o seu próprio benefício? Se for a segunda opção, tudo bem, mas precisa explicar aos vendedores antes que eles comprem a ideia. Use muitos porquês nas suas comunicações.

Vendedores estão ocupados o tempo todo com uma série de demandas competindo pela atenção deles. Então, instintivamente, estabelecem prioridades na hora de definir em que investir seu tempo.

A não ser que a ferramenta ou ideia dada a eles seja intuitiva, eles se negarão a gastar tempo e energia para descobrir como funciona. E, convenhamos, a maioria de nós também não é assim?

◢ TRATE O SEU TIME COMO SE FOSSEM CLIENTES

Comece aprendendo a ganhar a atenção dos seus vendedores, em vez de pedi-la. No lugar de tentar impor regras ou programas de forma arbitrária, experimente uma abordagem diferente: imagine que estivesse tentando atrair e conquistar seus clientes.

> ❝ No lugar de tentar impor regras ou programas de forma arbitrária, **experimente uma abordagem diferente**: imagine que estivesse tentando atrair e conquistar seus clientes.

Pense nos seus vendedores como clientes ou usuários, e nas ferramentas de trabalho, no ambiente e nos programas como produtos.

Você costuma obrigar os clientes a fazer coisas? Não, né? É preciso criar um produto ou serviço que eles queiram e que melhore de verdade seus negócios. Dessa maneira, você conquista a atenção e acaba fechando o contrato. É com esse mesmo espírito de conquista que você precisa tratar seus clientes internos, os vendedores.

A propósito, se você anda tendo problemas com clientes e marketing, há uma grande chance de que isso seja reflexo de algo que não esteja funcionando com seu marketing interno e com as relações que a empresa, ou você, estabelece com seu time.

Envolva o time na identificação, seleção e desenho das iniciativas, de forma que eles se sintam parte delas. Isso tornará os programas muito mais bem-sucedidos. ◾

DEZ MANEIRAS DE MELHORAR A ADESÃO AO SEU SISTEMA DE AUTOMAÇÃO DA FORÇA DE VENDAS

Os sistemas de automação da força de vendas, como o Salesforce.com, são ferramentas indispensáveis, mas, como qualquer ferramenta, só tem valor se as pessoas souberem usá-la. Mesmo sendo fácil usar o Salesforce.com, ou qualquer um similar, as empresas ainda enfrentam sérias dificuldades para fazer seus vendedores usarem esses sistemas.

◢ OS TRÊS PRINCIPAIS VALORES DA ADESÃO AOS SISTEMAS DE VENDAS

1 *Executivos devem liderar pelo exemplo*

A adesão começa pelo CEO e executivos da empresa. Via de regra, as pessoas só irão aderir a um sistema se seus gestores aderirem, e os gestores, se seus diretores o fizerem.

2 *Quanto melhor o desenho, melhor a adesão*

Quanto mais fácil for para o seu pessoal aderir – melhor usabilidade, treinamento de fácil compreensão, tutoria inicial –, mais facilmente irão fazê-lo.

3 *Pressão e colaboração dos colegas*

Começando pelos gestores, todos devem esperar que o sistema de automação da força de vendas seja usado. Pergunte: por que isso não está no nosso sistema de vendas? Suspenda as reuniões até que o sistema de vendas seja atualizado.

◢ 10 MANEIRAS DE MELHORAR A ADESÃO AO SEU SISTEMA DE AUTOMAÇÃO DA FORÇA DE VENDAS

❶ Crie um *dashboard* que seja útil para os gestores, incluindo o CEO. Inclua um tempo na reunião de Diretoria para discutir esse *dashboard*.

❷ Limpe a sujeira do seu sistema para melhorar a usabilidade.

❸ Faça a remuneração dependente de relatórios precisos do seu sistema.

❹ Comunique de forma clara por que a adoção do sistema é importante.

❺ Customize a interface dos usuários por função.

❻ Comece a treiná-los e a criar expectativas como se fosse o primeiro dia de trabalho.

❼ Faça da adesão ao sistema parte da cultura de vendas e da pressão dos colegas.

❽ Faça uma aula do treinamento on-line do seu sistema.

❾ Contrate um usuário experiente do seu sistema para fazer sessões de treinamento individuais com o seu pessoal.

❿ Avalie a versão *mobile* do seu sistema.

1 Crie um *dashboard* que seja útil para os gestores, incluindo o CEO

Quais são as métricas monitoradas semanalmente pelos gestores? Tire-as do Excel e as coloque em um *dashboard* do seu sistema (onde for possível), para ser usado no momento da reunião em que for tratar das vendas. Sem exceções. Isso criará um efeito *top-down* que ajudará bastante a inspirar a adesão.

Comece simples, com um único *dashboard*, contendo de oito a dez métricas com as quais o time se preocupa. Exemplos: vendas fechadas no trimestre, negociações em aberto com expectativa de fechamento para esse trimestre, número de *leads* qualificados por mês, volume de negócios criados no mês, resultados por vertical, etc.

2 Limpe a sujeira do seu sistema para melhorar a usabilidade

Pare de tentar controlar tudo. Quanto mais fácil for mexer no seu sistema, mais as pessoas irão usá-lo. Fique livre dos excessos, de preferência ocultando coisas que eles não usarão e criando títulos intuitivos para os menus:

- Oculte as abas que não estão sendo usadas.
- Oculte ou remova os campos que não são usados.
- Use nomes simples, do senso comum, para customizar os campos.

3 Faça a remuneração dependente de relatórios precisos do seu sistema

Não pague as pessoas se as oportunidades de negócio ou clientes não estiverem no sistema de vendas, ou não estiverem preenchidas dentro de padrões predefinidos. Você se assustará como as oportunidades de negócio migrarão rapidamente para o sistema de vendas!

4 Comunique de forma clara por que a adesão ao sistema é importante

Estudos demonstram que, quando você comunica claramente por que deseja alguma coisa, as pessoas tendem a cooperar mais. Você não conseguirá muita cooperação do time de vendas se eles sentirem que você só quer vigiá-los. Se eles souberem que será um bom negócio para eles, certamente o usarão.

Sem os dados no seu sistema de vendas, os gestores navegarão às cegas ou terão de obter os dados das pessoas manualmente. Nas duas situações, isso criará problemas com o time de vendas.

Os SDRs perderão muito tempo quando seus colegas tiverem dificuldades ou cometerem erros, por conta de informações imprecisas ou incompletas sobre as contas.

Os clientes também estarão mais propensos a receber um atendimento de baixo nível, se o suporte a clientes não tiver uma visão clara do que está acontecendo com aquela conta.

5 Customize a interface dos usuários por função

Descubra o que os SDRs precisam do seu sistema de automação, e como podem se beneficiar dele. Depois configure uma interface de usuário específica para eles e exclua tudo que for irrelevante ou que possa distraí-los.

6 Comece a treiná-los e a criar expectativas como se fosse o primeiro dia de trabalho

Crie uma boa primeira impressão e reforce sistematicamente a ideia de que tudo deve ficar no sistema de vendas. Comece criando bons hábitos.

7 Faça da adesão ao sistema parte da cultura de vendas e da pressão dos colegas

Se alguma coisa não estiver no sistema de vendas, ela não existe. Se o gestor mantiver um padrão elevado de expectativas, e não burlar o sistema, os vendedores se tornarão melhores.

Por exemplo, se após uma ligação um vendedor não tiver entrado no sistema e atualizado a negociação, faça com que todo o time o aguarde enquanto ele faz a atualização em tempo real.

E, de novo, não pague ninguém por negócios que estejam fora do sistema.

8 Faça uma aula on-line do seu sistema de automação

Seja qual for o sistema que você tem na sua empresa, há diversos formatos de aulas disponíveis e você deveria fazê-las! Em um mundo perfeito, você deveria poder usar um sistema de forma completamente intuitiva; porém, até que a Apple entre nesse mercado, você terá que fazer um treinamento.

9 Contrate um usuário experiente para fazer sessões de treinamento individuais com o seu pessoal

Descobri que muitos usuários de sistemas de vendas ficam intimidados pela chegada de um novo sistema. Sentar com cada um, em sessões de meia hora, para mostrar algumas dicas de uso é o suficiente para fazê-los superar essa primeira etapa.

10 Avalie a versão *mobile* do seu sistema

O seu sistema tem uma versão *mobile* para smartphone para torná-lo mais acessível? Especialmente para times de vendas que trabalham na rua, e que têm pouco tempo para atualizar os registros em um notebook, essa pode ser a maneira mais fácil de dar a eles acesso para fazer pequenas, porém importantes atualizações ou acessar dados do sistema de qualquer lugar e a qualquer hora.

Lembre-se de que não é responsabilidade exclusiva do sistema que você escolheu tornar você ou seus vendedores bem-sucedidos.

O CEO carrega a maior parte da responsabilidade, tanto no uso quanto no compromisso de fazer o que for preciso para que a empresa abrace e use o sistema de vendas de forma efetiva.

COMO CRIAMOS UM ALINHAMENTO DA MÁQUINA DE VENDAS USANDO O PROCESSO DE PLANEJAMENTO V2MOM DA SALESFORCE.COM?

Uma das principais práticas adotadas pelo CEO Marc Benioff, que ajudou a Salesforce.com a ultrapassar a marca de US$ 1 bilhão em receitas em menos de 10 anos, foi o processo de planejamento V2MOM.

Marc Benioff apareceu com um plano para definir a visão da empresa e o seu alinhamento, com todas as pessoas e times, na execução dessa visão. O acrônimo V2MOM vinha das palavras: visão, valores, métodos, obstáculos e métricas.

O V2MOM ajudou a empresa, com seus times e pessoas, a terem uma visão, a priorizarem os métodos mais eficazes para atingi-la, anteciparem os problemas e entenderem como poderiam medir o sucesso. Isso era feito em cada nível da empresa: para a empresa como um todo, por time e por pessoa. Eu criei, por exemplo, o meu próprio V2MOM.

Isso criou um alinhamento do topo até a base da empresa, do CEO até os vendedores e pessoal de suporte.

Nós levávamos o processo V2MOM muito a sério. Só o time executivo, sozinho, gastava de 80 a 100 horas apenas para criá-lo no nível do CEO. Quando fizemos o do meu time, gastamos entre 10 a 15 horas. Depois, ainda foram mais duas a quatro horas por pessoa, para criar as versões individuais do V2MOM. E valeu o investimento.

A seguir, estão exemplos dos cinco princípios do processo V2MOM em cada nível, para que você possa aprender e tentar por conta própria.

1 VISÃO: QUAL É A VISÃO?

Qual é a sua visão para os próximos 12 meses?

Nível da empresa
"Dobrar a nossa entusiasmada e extremamente bem-sucedida comunidade global de clientes e parceiros, por meio de uma execução impecável do nosso já comprovado modelo."

Nível do time (meu time de vendas)
"Fazer a diferença no sucesso do nosso time e da empresa, sendo o melhor do mundo na geração de novos negócios, por meio da inovação permanente e do compartilhamento de nossa *expertise*."

Nível individual (minha V2MOM pessoal)
"Gerir os membros do meu time como um líder, que será lembrado daqui a 10 anos como o melhor que já tiveram."

2 VALORES: QUAIS AS MAIORES PRIORIDADES?

Nível da empresa
Confiança do cliente. Esse era um dos principais valores que a Salesforce.com tinha e, naquele ano, vários problemas estavam acabando com a confiança dos clientes e parceiros.

Nível do time
Persistência. Eficiência. Sucesso. Cada uma dessas palavras pode ter vários significados. Sucesso significa o sucesso de cada pessoa do meu time, do time de vendas, de nossos *prospects* e clientes, e qualquer pessoa com a qual tenhamos contato dentro ou fora da empresa.

Nível individual
Liderança "mão na massa". Execução impecável. Inovação prática.

3 MÉTODOS: COMO ISSO ACONTECERÁ?

O que você fará de fato para bater suas metas? O que vai criar? Em vez de responder de forma vaga e generalista, seja tão específico e claro quanto puder.

Nível da empresa
Aumente a adoção por meio das vendas, serviços, e eficiência dos parceiros, incluindo especificações mais detalhadas sobre programas e práticas para esclarecer o que realmente significam.

Nível do time
Não aceite um não como resposta até ouvi-lo do Diretor de Vendas. Embora possa parecer óbvio adotar essa tática de vendas, descobri que vendedores novatos desistem muito rapidamente quando recebem um não de alguém, como do Diretor de Marketing. É tão importante reforçar essa prática de nunca desistir diante de um *prospect* ideal, que nós criamos o método V2MOM.

Nível individual
Lidere das trincheiras. Nunca pedi às pessoas para fazer alguma coisa que eu mesmo não faria. Me mantenho tão próximo quanto possível e os envolvo no meu próprio mundo.

Nível individual 2
Um time de sucesso é feito de pessoas de sucesso, o que significa cultivar a ideia de que eu trabalho para eles, em vez de eles trabalharem para mim. Focando o sucesso de cada indivíduo, o time se tornará bem-sucedido.

4 OBSTÁCULOS: O QUE ESTÁ OU PODERIA ESTAR NO CAMINHO?

Identifique os desafios com antecedência para se preparar para eles ou evitá-los.

Nível da empresa
Medo do pessoal de TI ou da empresa de ter seus dados expostos.

Nível do time
É mais fácil trabalhar muito do que trabalhar bem. Trabalhar longas jornadas é uma espécie de apoio para aqueles que não sabem como redesenhar seus processos ou rotina para tornar mais fácil o alcance dos resultados.

Nível individual
Quando um time está crescendo, as pessoas precisam de mais atenção e *coaching*. Acho muito difícil conseguir dar a atenção e a orientação necessárias a cada indivíduo quando um time passa de 10 pessoas. É esse tipo de crescimento que me faz desenvolver sistemas autogeridos, para encontrar maneiras de os pares se ajudarem.

5 MÉTRICAS: COMO VOCÊ MEDIRÁ O SUCESSO?

Nível da empresa
Receita, taxas de conversão, etc.

Nível do time
Nós nunca medimos o número de ligações. Nosso método é muito mais baseado em métricas de resultado, como: conversas por dia, oportunidades de negócio qualificadas por mês, volume de novos negócios por mês e total de vendas realizadas.

Nível individual
Eu tenho algumas metas pessoais e profissionais, como: ganhar pelo menos US$ 170 mil por ano, a partir do próximo ano; ganhar experiência nos mercados da Ásia, da Europa, da África e do Oriente Médio; e completar o Half-Ironman no Havaí, em junho do ano que vem. ∎

COMO PROJETAR TIMES E PROCESSOS AUTOGERIDOS

Você está pronto para mudar sua empresa para um modelo autogerido?

Digamos que você tenha avançado, pelo menos, até a parte que fala da visão, no modelo V2MOM, e seu time tenha criado uma visão que sugira a adoção de uma postura de miniCEOs e de mais sistemas autogeridos.

> ❝ Você está pronto para **mudar** sua empresa para um modelo **autogerido**?

Os vendedores compram a ideia porque querem ter mais controle sobre o próprio trabalho, e desejam se tornar autogeridos.

Eu recomendo que você introduza o processo a seguir, apenas com um time primeiro, como o de vendas. Isso é importante para verificar se o processo funciona na sua cultura, antes de adotá-lo no restante da empresa. Com paciência e persistência, mantenha o objetivo de direcionar a cultura e o time para uma visão comum. Esteja preparado para gastar mais tempo nisso do que planejou inicialmente. Você está lidando com mudanças de hábito, e as pessoas normalmente não querem mudar seus hábitos.

Comece fazendo estas duas perguntas:

1. Como o time funcionaria se o gestor desaparecesse amanhã?
2. O que teria de acontecer para que o time melhorasse seus resultados, e não apenas continuasse produzindo no mesmo nível?

Por exemplo, a seguir temos as principais responsabilidades de um Diretor de Vendas:

- Estabelecimento de metas e realizações.
- Envolvimento em grandes negociações.
- Cultura.
- Plano de remuneração: desenho, cálculo e apuração.
- Talentos: estruturação das funções, contratação e demissão.
- *Coaching*.
- Análises e relatórios.
- Orçamento e despesas.
- Desenho e aprimoramento de processos.

Pegue a sua lista e, de cima para baixo, discuta-a item a item. Por exemplo: como seria feito o estabelecimento de metas e realizações, se o Diretor de Vendas desaparecesse amanhã e não fosse substituído? E assim por diante, para cada item.

Se tiver dificuldade ou quiser fingir que só uma única pessoa é capaz de cuidar daquele ponto, lembre-se da famosa frase de Charles de Gaulle: "O cemitério está cheio de pessoas insubstituíveis".

Quando terminar a lista e tiver discutido todos os itens, terá uma visão de como o time pode se autogerir. Não tente implementar todos os itens da lista de uma só vez. Selecione uns dois ou três que sejam importantes e fáceis de implementar, antes de avançar para os demais. Construa um clima favorável conseguindo sucesso já no início.

O QUE SERÁ DOS DIRETORES OU GERENTES DE VENDAS?

Se você começar a tirar todas as responsabilidades e todo o poder de um gestor, será que ele não se sentirá ameaçado e pensará que a empresa não precisa mais dele? Não!

Quanto mais um time de vendas se torna autogerido, mais o gestor pode focar o desenvolvimento daquilo que é importante, mas não é urgente. Dessa forma, ele pode se dedicar a tratar de questões sobre o desenvolvimento de talentos, cultura e visão, em vez de ficar apagando incêndio e perdendo tempo com coisas menos importantes, mas urgentes.

Além do mais, liberando parte do seu tempo e energia, o Gerente de Vendas pode assumir novas responsabilidades de seus superiores – até do CEO –, e liberar o tempo e energia deles, para que façam coisas ainda mais grandiosas.

Percebeu como isso funciona? Você recebe o que dá. Dê mais liberdade e crescimento para o seu pessoal, e receberá o mesmo em troca.

> ❝ Quanto mais um time de vendas se torna **autogerido**, mais o gestor pode focar o **desenvolvimento** daquilo que é **importante**, mas **não é** urgente.

▲ SELECIONE AS RESPONSABILIDADES ANTES DE DISTRIBUÍ-LAS

Trabalhar com a sua lista de responsabilidades e tarefas é uma excelente oportunidade para aplicar o princípio 80/20 e eliminar aquilo que não é essencial. Em vez de simplesmente distribuir 100% do trabalho, divida-o em duas partes:

1. Os 20% que são mais importantes para manter com o time ou com a empresa.
2. Os 80% que podem ser eliminados, automatizados ou terceirizados.

Faça duas colunas em um quadro branco, sendo uma para os 20% mais importantes, e outra para os 80% restantes. A seguir, indague de que forma você poderia eliminar o máximo possível de responsabilidades e tarefas. Utilize as perguntas a seguir como uma espécie de guia:

- O que você pode eliminar?
- O que pode ser automatizado?
- O que pode ser terceirizado?

E, finalmente, distribua o que ficar do lado esquerdo do quadro, ou seja, os 20% mais importantes.

Para as responsabilidades e tarefas que não puderem ser eliminadas, pense em como pode usar a transparência e a confiança para acabar com cerca de 80% dos relatórios, monitoramento, checagens e auditorias.

Por exemplo, em vez de ter um processo de pré-aprovação de despesas, tente acabar com o processo de aprovação inteiro, e divulgue, de forma transparente, os relatórios de despesas de todos ou do time, em comparação com o orçamento.

Nesse tipo de sistema de gestão das despesas, crie um processo em que as pessoas devam procurar o aconselhamento dos outros antes de realizarem a despesa. Pode ser um processo em que um colega, e não necessariamente um gestor, aprove a despesa. A revisão de um colega aliada à transparência é uma combinação muito mais poderosa e produtiva do que regras e regulamentos administrativos.

Depois de eliminar e reduzir o que for possível, veja o que pode ser automatizado ou terceirizado, de forma a liberar ainda mais o seu tempo e melhorar os resultados.

Assim que terminar de criar seus planos para eliminar, automatizar e terceirizar o que for possível, comece a delegar suas responsabilidades e tarefas para o time.

▴ DISTRIBUINDO A GESTÃO POR MEIO DE SUBTIMES E LÍDERES DE TIME

Neste tópico, utilizo uma série de termos:

- ▸ Líder de time.

- ▸ "Líder de [Função específica]", por exemplo, Líder do programa de treinamento.

Quando um time passa de oito a dez membros, ele começa a perder aquela intimidade que a gente sente quando ele é menor.

As pessoas começam a se sentir perdidas no meio da multidão ou, pior, elas podem se esconder.

Quando meu time passou de quinze pessoas se reportando diretamente a mim, isso ultrapassou a minha capacidade de dar a quantidade de atenção que elas desejavam. Então, eu dividi o time em três subtimes, de cinco pessoas.

Depois, cada subtime escolheu seu próprio líder, que seria a melhor pessoa para apoiá-las no seu sucesso individual.

Esses líderes de time não eram gestores, mas vendedores com responsabilidades extras, que estavam lá para garantir que o seu subtime funcionasse de forma tranquila. Eles eram os meus miniCEOs, que tomavam conta das minhas tarefas diárias e de menor importância, como relatórios de comissão. Eu recomendo que a liderança desses times seja alternada a cada 3 ou 6 meses, para que diferentes pessoas possam desenvolver e praticar as habilidades que uma liderança exige.

◢ CRIANDO SUBTIMES SEM UM LÍDER ÚNICO

Outra forma de criar times autogeridos sem ter nenhum tipo de líder de time é distribuir as responsabilidades por função, ou seja, teremos líderes funcionais, como: líder de estabelecimento de metas, líder de contratações, líder de educação, líder de recrutamento, e assim por diante. Parte das responsabilidades do líder que sai é treinar o líder que está chegando.

O líder funcional não tem que fazer todo o trabalho. Ele é responsável por fazer a coisa acontecer, fazendo ou não a tarefa diretamente.

Um líder de pesquisa, por exemplo, pode ficar responsável pela gestão da empresa contratada para fazer uma pesquisa. Um líder de contratação pode cuidar da organização do processo de contratação e garantir que as entrevistas sejam realizadas, sem ter que participar de nenhuma entrevista.

◢ UM EXEMPLO DE LÍDERES DE TIME

Quando você tem uma função que precisa de um "dono" internamente, escolha uma única pessoa para isso e não um comitê. Faça dela um miniCEO daquela função.

Se é a própria pessoa ou não que fará o trabalho, não importa. O mais relevante é que ela seja responsável pela conclusão da atividade, e melhor do que era antes.

Por exemplo, antes de criar o meu sistema de subtimes e líderes de time, eu gastava pelo menos metade do meu tempo orientando e treinando os novatos. Com o crescimento do time, eu já não dava conta de dar a atenção necessária aos vendedores novatos e veteranos. Quando mudei para o novo sistema, o meu time de vendas assumiu cerca de 80% das primeiras semanas de treinamento e orientação dos recém-contratados em cada um dos subtimes. Cada líder de time se assegurava de que o novo vendedor atingisse o nível desejado nas primeiras seis semanas. Dessa forma, eu ficava liberado para orientar os veteranos em técnicas de vendas mais avançadas.

Todo mundo ganhava: os novatos recebiam mais treinamento e atenção, os veteranos recebiam mais atenção da minha parte, e eu podia investir meu tempo em atividades de maior relevância.

Os líderes de time não faziam todo o trabalho de orientação dos novatos. Eles eram responsáveis por garantir que o recém-contratado que entrasse em seu subtime recebesse treinamento e orientação. Depois disso, eu entrava em cena e gastava mais tempo com eles, um a um, quando já estavam preparados para receber orientações mais avançadas.

Com o objetivo de alinhar os objetivos do líder de time com os de seu subtime, 20% dos objetivos e remuneração do líder dependiam do resultado do seu time. Esses 20% extras de remuneração eram uma espécie de compensação por assumir a responsabilidade de ser um líder de time.

Os outros 80% da remuneração do líder de time dependiam da sua performance individual em vendas.

Algumas outras funções que os subtimes e líderes de time possuíam eram:

- **Controlar a qualidade do trabalho** realizado. Nós tínhamos um processo de auditoria para verificar resultados de vendas e contratos antes de liberar as comissões.

- **Realizar ações de marketing e incentivo** com o seu subtime com um pequeno orçamento.

- **Promover atividades divertidas** com o seu subtime.

- **Entrevistar e treinar** os novatos do seu subtime.

- **Fazer e receber a avaliação** dos colegas.

- **Atingir as metas** de vendas mensais do seu subtime.

Eu focava a maior parte do meu tempo na orientação dos líderes de subtimes, treinando os instrutores. Como parte desse trabalho, eu continuava andando pela empresa e falando com todos, incluindo os novatos. Mantendo esse contato com a linha de frente, eu conseguia ter mais *insights* sobre como ajudar mais os líderes de subtimes a aprimorar o sistema.

◢ COMO DISTRIBUIR RESPONSABILIDADES

Você precisa distribuir as responsabilidades entre os membros do time, ou fora dele, para não acumular um monte de trabalho extra. Daí a importância de eliminar, automatizar ou terceirizar antes de delegar.

Ao distribuir responsabilidades aos funcionários que estão em contato com o cliente, você melhora a qualidade e os resultados. Eles também vão aprender muito mais sobre o negócio e o que os leva ao sucesso como miniCEOs.

Aqui estão alguns exemplos de distribuição de responsabilidade de um Diretor de Vendas:

Estabelecimento de metas e realizações

Quais são as condições necessárias para que o time esteja apto a estabelecer e atingir suas próprias metas melhor do que antes?

- Princípio 80/20: quanto do processo de estabelecimento de metas não é importante? Você realmente precisa estabelecer e acompanhar 15 metas? Quais são os 20% das metas que realmente importam?

- E se você tivesse um líder de estabelecimento de metas no time, que pudesse gerenciar o processo e funcionar como ponto de contato com o time e com o CEO?

- Você precisa de um líder separado para tomar conta do alcance das metas, monitorando e reportando a todos os times a evolução de cada mês, e marcando os pontos a serem investigados?

Ajuda dos superiores em grandes negociações

Se você precisa levar o Diretor de Vendas toda vez que tiver que fazer um grande acordo, seu processo não é escalável e aquela pessoa sempre será um gargalo. De fato, toda vez que alguém é um gargalo em algum processo, seu crescimento está comprometido.

> **❝** Se você precisa levar o **Diretor de Vendas** toda vez que tiver que fazer um grande acordo, seu processo **não é** escalável e aquela pessoa sempre será um **gargalo**.

Quais as condições que devem existir para que 80% dos grandes acordos sejam fechados sem a necessidade de participação do Diretor de Vendas ou do CEO?

- Será que você pode melhorar o seu processo ou produto para que reduza a necessidade de envolvimento do Diretor de Vendas? Para tornar os acordos mais fáceis de serem fechados, sem muita ajuda?

- Quais outros executivos podem ser colocados no lugar do Diretor de Vendas para ajudarem nos grandes negócios?

- Será que alguns clientes que gostam muito de você poderiam contribuir doando seu tempo para ajudá-lo? Sim, isso pode acontecer, especialmente se você tem um programa de incentivo para eles.

▲ RELATÓRIOS E ANÁLISES DE VENDAS

Que condições são necessárias para que o time e os executivos tenham os relatórios e as análises dos quais precisam com apenas um clique?

Divulgando os resultados em tempo real, usando algum tipo de sistema como o Salesforce.com, você poderia eliminar a necessidade de ter alguém só para fazer relatórios?

Cuidado com o excesso de dados: quais são os relatórios que você gostaria de ter *versus* os que você precisa ter? É muito comum executivos e membros do Conselho requisitarem relatórios sem terem muita noção do tempo e da energia que demandam para serem produzidos. E esse tempo não é livre, o que acaba desviando as pessoas do negócio. Em vez de produzir relatórios cegamente, questione os reais objetivos antes de fazê-los. Às vezes, o que eles precisam é algo diferente do que desejam. Ajude os executivos a compreenderem o custo dos relatórios que eles desejam, de forma que possam priorizar suas demandas.

Como você pode remodelar seus relatórios para que se tornem mais úteis? Relatórios muitas vezes são criados simplesmente porque alguém os requisitou sem ter uma ideia clara de seu propósito. Questione: "Que decisão este relatório ajudará a melhorar? Qual o propósito deste relatório?". Se um relatório não o ajudar a priorizar seus esforços ou a tomar melhores decisões, há algo errado.

◢ CULTURA

Muitas empresas gostam de falar sobre cultura, mas fazem muito pouco a respeito disso. O quanto você faz para encorajar e desenvolver uma cultura positiva que atraia e mantenha grandes talentos? Quais condições deveriam existir para que os principais valores dessa cultura fossem identificados e praticados? Por exemplo:

> **❝ O quanto você faz para encorajar e desenvolver uma cultura positiva que atraia e mantenha grandes talentos?**

Se diversão é importante para a cultura da sua empresa — e é melhor que seja —, o time pode ter um líder de diversão que fique responsável por cuidar para que o time tenha diversão toda semana.

De novo, essa pessoa não precisa cuidar diretamente dos eventos, mas apenas garantir que eles ocorram com regularidade.

◢ NUNCA DESISTA

Por que pode parecer difícil desenvolver pessoas e times autogeridos? Partindo da premissa de que você tenha contratado pessoas de qualidade — o que nem sempre é verdade —, um dos principais motivos para fracassar é desistir muito cedo. Isso requer paciência e prática.

Para alguns de vocês, pode levar cerca de seis semanas para tornar um time autogerido. Para outros, pode ser seis anos. Mas, se você desiste no meio do caminho, com certeza isso nunca se tornará uma realidade. Portanto, comprometa-se e nunca desista!

Para saber mais sobre como transformar seus funcionários em miniCEOs, visite: www.ceoflow.com. ■

RECEITA PREVISÍVEL®

Criamos o método de vendas B2B mais usado no mundo. Por isso, sabemos tão bem como ensiná-lo.
Além do livro, a Receita Previsível possui uma unidade no Brasil.

Contrate serviços exclusivos para a sua empresa:

- Consultoria da metodologia Receita Previsível
- Palestras online com o Aaron e outros consultores sênior do método no país
- Treinamentos e programas de imersão
- Workshops

Liderada por Thiago Muniz, CEO da operação ajudamos você a implantar a máquina de vendas no seu negócio. Acesse nosso site e descubra como podemos ajudar a implementar a metodologia de Receita Previsível® no seu negócio:

www.receitaprevisivel.com

LEIA TAMBÉM

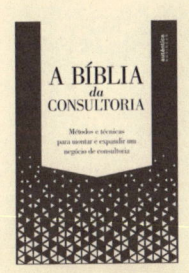

A BÍBLIA DA CONSULTORIA
Alan Weiss, PhD
TRADUÇÃO Afonso Celso da Cunha Serra

A BÍBLIA DO VAREJO
Constant Berkhout
TRADUÇÃO Afonso Celso da Cunha Serra

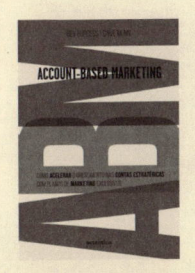

ABM ACCOUNT-BASED MARKETING
Bev Burgess, Dave Munn
TRADUÇÃO Afonso Celso da Cunha Serra

BOX RECEITA PREVISÍVEL (LIVRO 2ª EDIÇÃO + WORKBOOK)
Aaron Ross, Marylou Tyler, Marcelo Amaral de Moraes
TRADUÇÃO Marcelo Amaral de Moraes

CONFLITO DE GERAÇÕES
Valerie M. Grubb
TRADUÇÃO Afonso Celso da Cunha Serra

CUSTOMER SUCCESS
Dan Steinman, Lincoln Murphy, Nick Mehta
TRADUÇÃO Afonso Celso da Cunha Serra

DIGITAL BRANDING
Daniel Rowles
TRADUÇÃO Afonso Celso da Cunha Serra

DOMINANDO AS TECNOLOGIAS DISRUPTIVAS
Paul Armstrong
TRADUÇÃO Afonso Celso da Cunha Serra

ECONOMIA CIRCULAR
Catherine Weetman
TRADUÇÃO Afonso Celso da Cunha Serra

ESTRATÉGIA DE PLATAFORMA
Tero Ojanperä, Timo O. Vuori
TRADUÇÃO Luis Reyes Gil

INGRESOS PREDECIBLES
Aaron Ross & Marylou Tyler
TRADUÇÃO Julieta Sueldo Boedo

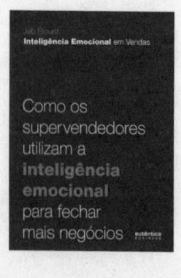

INTELIGÊNCIA EMOCIONAL EM VENDAS
Jeb Blount
TRADUÇÃO Afonso Celso da Cunha Serra

IOT – INTERNET DAS COISAS
Bruce Sinclair
TRADUÇÃO Afonso Celso da Cunha Serra

KAM – KEY ACCOUNT MANAGEMENT
Malcolm McDonald, Beth Rogers
TRADUÇÃO Afonso Celso da Cunha Serra

MARKETING EXPERIENCIAL
Shirra Smilansky
TRADUÇÃO Maíra Meyer Bregalda

TRANSFORMAÇÃO DIGITAL COM METODOLOGIAS ÁGEIS
Neil Perkin
TRADUÇÃO Luis Reyes Gil

MITOS DA GESTÃO
Stefan Stern, Cary Cooper
TRADUÇÃO Afonso Celso da Cunha Serra

MITOS DA LIDERANÇA
Jo Owen
TRADUÇÃO Afonso Celso da Cunha Serra

MITOS DO AMBIENTE DE TRABALHO
Adrian Furnham, Ian MacRae
TRADUÇÃO Afonso Celso da Cunha Serra

NEGOCIAÇÃO NA PRÁTICA
Melissa Davies
TRADUÇÃO Maíra Meyer Bregalda

NEUROMARKETING
Darren Bridger
TRADUÇÃO Afonso Celso da Cunha Serra

NÔMADE DIGITAL
Matheus de Souza

POR QUE OS HOMENS SE DÃO MELHOR QUE AS MULHERES NO MERCADO DE TRABALHO
Gill Whitty-Collins
TRADUÇÃO **Maíra Meyer Bregalda**

RECEITA PREVISÍVEL 2ª EDIÇÃO
Aaron Ross & Marylou Tyler
TRADUÇÃO **Celina Pedrina Siqueira Amaral**

VENDAS DISRUPTIVAS
Patrick Maes
TRADUÇÃO **Maíra Meyer Bregalda**

VIDEO MARKETING
Jon Mowat
TRADUÇÃO **Afonso Celso da Cunha Serra**

TRANSFORMAÇÃO DIGITAL
David L. Rogers
TRADUÇÃO **Afonso Celso da Cunha Serra**

WORKBOOK RECEITA PREVISÍVEL
Aaron Ross, Marcelo Amaral de Moraes

INOVAÇÃO
Cris Beswick, Derek Bishop, Jo Geraghty
TRADUÇÃO **Luis Reyes Gil**

CUSTOMER EXPERIENCE
Martin Newman, Malcolm McDonald
TRADUÇÃO **Maíra Meyer Bregalda, Marcelo Amaral de Moraes**

CUSTOMER EXPERIENCE
Nick Hague, Paul Hague
TRADUÇÃO Maíra Meyer Bregalda

CANAIS DE VENDAS E MARKETING
Julian Dent, Michael K. White
TRADUÇÃO Afonso Celso da Cunha Serra

MARKETING CONVERSACIONAL
Dave Gerhardt, David Cancel
TRADUÇÃO Maíra Meyer Bregalda

AGILE MARKETING
Neil Perkin
TRADUÇÃO Luis Reyes Gil

ONBOARDING ORQUESTRADO
Donna Weber
TRADUÇÃO Marcelo Amaral de Moraes, Maíra Meyer Bregalda

BUYER PERSONAS
Adele Revella
TRADUÇÃO Luis Reyes Gil

TRANSFORMAÇÃO DIGITAL 2
David L. Rogers
TRADUÇÃO Luis Reyes Gil

Este livro foi composto com tipografia Bembo e impresso
em papel Off-White 80 g/m² na Formato Artes Gráficas.